UNE VIE SANS FIN

Frédéric Beigbeder est né en 1965. Romancier, feuilletoniste au *Figaro magazine*, il est notamment l'auteur de *L'amour dure trois ans* (1997), qu'il a porté à l'écran en 2012, *99 francs* (2000) adapté au cinéma en 2007, *Windows on the World* (2003, prix Interallié), *Au secours pardon* (2007), qu'il a adapté et réalisé en 2016 sous le titre *L'Idéal*, et *Un roman français* (2009, prix Renaudot). Il est également critique dans l'émission «Le Masque et la Plume», sur France Inter.

FRÉDÉRIC BEIGBEDER

Une vie sans fin

ROMAN

GRASSET

ISBN : 978-2-253-10035-5 – 1re publication LGF

à Chloë, Lara et Oona

« Que Dieu tout-puissant nous fasse miséricorde, qu'Il nous pardonne nos péchés et nous conduise à la vie éternelle.

— Amen. »

Missel de la messe catholique

« Nous aimons la mort autant que vous aimez la vie. »

Oussama BEN LADEN

« Seraient-ils neuf cent quatre-vingt-quinze millions et moi tout seul, c'est eux qui ont tort, Lola, et c'est moi qui ai raison, parce que je suis le seul à savoir ce que je veux : je ne veux plus mourir. »

Louis-Ferdinand CÉLINE,
Voyage au bout de la nuit

PETITE PRÉCISION AYANT SON IMPORTANCE

«La différence entre la fiction et la réalité, c'est que la fiction doit être crédible», dit Mark Twain. Mais que faire quand la réalité ne l'est plus ? La fiction est aujourd'hui moins folle que la science. Voici un ouvrage de «science non-fiction»; un roman dont tous les développements scientifiques ont été publiés dans *Science* ou *Nature*. Les entretiens avec des médecins, chercheurs, biologistes et généticiens réels y sont retranscrits tels qu'ils ont été enregistrés au cours des années 2015 à 2017. Tous les noms de personnes ou d'entreprises, adresses, découvertes, start-up, machines, médicaments et établissements cliniques mentionnés existent bel et bien. J'ai seulement changé les noms de mes proches pour ne pas les embarrasser.

En démarrant cette enquête sur l'immortalité de l'homme, jamais je n'aurais imaginé où elle me mènerait.

L'auteur décline toute responsabilité quant aux conséquences de ce livre sur l'espèce humaine (en général) et la durée de vie de son lecteur (en particulier).

F. B.

1

MOURIR N'EST PAS UNE OPTION

«La mort, c'est stupide.»

Francis Bacon à Francis Giacobetti
(septembre 1991)

Si le ciel est dégagé, on peut voir la mort toutes les nuits. Il suffit de lever les yeux. La lumière des astres défunts a traversé la galaxie. Des étoiles lointaines, disparues depuis des millénaires, persistent à nous envoyer un souvenir dans le firmament. Il m'arrive de téléphoner à quelqu'un que l'on vient d'enterrer, et d'entendre sa voix, intacte, sur sa boîte vocale. Cette situation provoque un sentiment paradoxal. Au bout de combien de temps la luminosité diminue-t-elle quand l'étoile n'existe plus ? Combien de semaines met une compagnie téléphonique à effacer le répondeur d'un cadavre ? Il existe un délai entre le décès et l'extinction : les étoiles sont la preuve qu'on peut continuer de briller après la mort. Passé ce *light gap*, arrive forcément le moment où l'éclat d'un soleil révolu vacille comme la flamme d'une bougie sur le point de s'éteindre. La lueur hésite, l'étoile se fatigue, le répondeur se tait, le feu tremble. Si l'on observe la mort attentivement, on voit que les astres absents scintillent légèrement moins que les soleils vivants. Leur halo faiblit, leur chatoiement s'estompe. L'étoile morte se met à clignoter, comme si elle nous adressait un message de détresse… Elle s'accroche.

Ma résurrection a commencé à Paris, dans le quartier des attentats, le jour d'un pic de pollution aux particules fines. J'avais emmené ma fille dans un néo-bistrot nommé Jouvence. Elle mangeait une assiette de saucisson de bellota et je buvais un Hendrick's tonic concombre. Nous avions perdu l'habitude de nous parler depuis l'invention du smartphone. Elle consultait ses WhatsApp pendant que je suivais des top models sur Instagram. Je lui ai demandé ce qu'elle aimerait le plus comme cadeau d'anniversaire. Elle m'a répondu : « Un selfie avec Robert Pattinson. » Ma première réaction fut l'effarement. Mais à bien y réfléchir, dans mon métier d'animateur de télévision, je réclame aussi des selfies. Un type qui interroge des acteurs, des chanteurs, des sportifs et des hommes politiques devant des caméras ne fait rien d'autre que de longues prises de vues à côté de personnalités plus intéressantes que lui. D'ailleurs, quand je sors dans la rue, les passants me réclament une photo en leur compagnie sur leur téléphone, et si j'accepte volontiers, c'est parce que je viens d'accomplir exactement la même démarche sur mon plateau entouré de projecteurs. Nous menons tous la même non-vie ; nous voulons briller dans la lumière des autres. L'homme moderne est un amas de 75 000 milliards de cellules qui cherchent à être converties en pixels.

Le selfie exhibé sur les réseaux sociaux est la nouvelle idéologie de notre temps : ce que l'écrivain italien Andrea Inglese appelle «l'unique passion légitime, celle de l'autopromotion permanente». Il existe une hiérarchie aristocratique édictée par le selfie. Les selfies solitaires, où l'on s'exhibe devant un monument ou un paysage, ont une signification : je suis allé dans cet endroit et pas toi. Le selfie est un curriculum visuel, une e-carte de visite, un marchepied social. Le selfie à côté d'une célébrité est plus lourd de sens. Le selfiste cherche à prouver qu'il a rencontré quelqu'un de plus connu que son voisin. Personne ne demande de selfie à un anonyme, sauf s'il a une originalité physique : nain, hydrocéphale, homme-éléphant ou grand brûlé. Le selfie est une déclaration d'amour mais pas seulement : il est aussi une preuve d'identité («the medium is the message», avait prédit McLuhan sans imaginer que tout le monde deviendrait un médium). Si je poste un selfie à côté de Marion Cotillard, je n'exprime pas la même chose que si je m'immortalise avec Amélie Nothomb. Le selfie permet de se présenter : regardez comme je suis beau devant ce monument, avec cette personne, dans ce pays, sur cette plage, en plus je vous tire la langue. Vous me connaissez mieux à présent : je suis allongé au soleil, je pose le doigt sur l'antenne de la tour Eiffel, j'empêche la tour de Pise de tomber, je voyage, je ne me prends pas au sérieux, j'existe parce que j'ai croisé une célébrité. Le selfie est une tentative pour s'approprier une notoriété supérieure, pour crever la bulle de l'aristocratie. Le selfie est un communisme : il est l'arme du fantassin dans la guerre du glamour. On ne pose pas à côté de n'importe qui : on veut que la personnalité de l'autre déteigne sur soi. La photo avec un « people » est une forme de cannibalisme : elle engloutit l'aura de la star. Elle me fait entrer dans une orbite nouvelle. Le selfie est le langage nouveau d'une époque narcissique : il remplace le cogito cartésien. « Je pense donc je suis » devient « Je pose donc je suis ». Si je fais une photo avec Leonardo DiCaprio, je suis supérieur à toi qui poses avec ta mère au ski. D'ailleurs, ta mère aussi ferait volontiers un selfie à côté de DiCaprio. Et DiCaprio à côté du pape. Et le pape avec un enfant trisomique. Cela signifie-t-il que la personne la plus importante du monde est un enfant trisomique ? Non, je m'égare : le pape est l'exception qui confirme la règle de la maximisation de la célébrité par la photographie portable. Le pape a cassé le système du snobisme ego-aristocratique initié par Dürer en 1506 dans *La Vierge de la fête du rosaire*, où l'artiste s'est peint au-dessus de Sainte Marie Mère de Dieu.

La logique selfique peut bien être résumée ainsi : Bénabar voudra un selfie avec Bono mais Bono ne voudra pas de selfie à côté de Bénabar. Par conséquent, il existe une nouvelle lutte des classes tous les jours, dans toutes les rues du monde entier, dont l'unique but est la domination médiatique, l'exhibition d'une popularité supérieure, la progression

helle de la notoriété. Le combat consiste à
___er le nombre d'UBM (Unités de Bruit Média-
___que, dont chacun dispose : passages télé ou radio,
photos dans la presse, likes sur Facebook, vues sur
YouTube, retweets, etc. C'est une lutte contre l'anonymat, où les points sont faciles à compter, et dont les
gagnants snobent les perdants. Je propose de baptiser
cette nouvelle violence le *Selfisme*. C'est une guerre
mondiale sans armée, permanente, qui ne connaît
aucune trêve, 24 heures sur 24 : la «guerre de tous
contre tous», «bellum omnium contra omnes» défi-
nie par Thomas Hobbes, enfin techniquement organisée et instantanément comptabilisée. Lors de sa
première conférence de presse après son investiture
en janvier 2017, le président des États-Unis, Donald
Trump, n'a pas souhaité exposer sa vision de l'Amérique, ni la géopolitique du monde futur : il a uniquement comparé le nombre de spectateurs de sa
cérémonie inaugurale avec le nombre de spectateurs
de son prédécesseur. Je ne m'exclus nullement de cette
lutte existentielle : j'ai moi-même été très fier d'exposer mes selfies avec Jacques Dutronc ou David Bowie
sur ma fan-page comptant 135 000 j'aime. Cependant,
je me considère comme extrêmement seul depuis une
cinquantaine d'années. En dehors des selfies et des
tournages, je ne fréquente pas d'êtres humains. Alter-
ner la solitude et le brouhaha me protège de toute
question désagréable sur le sens de ma vie.

Parfois, l'unique moyen de vérifier que je suis vivant
consiste à regarder sur ma page Facebook combien de
personnes ont liké mon dernier post. Au-dessus de
100 000 likes, il m'arrive d'avoir une érection.

Ce qui me préoccupait ce soir-là chez ma fille, c'est qu'elle ne rêvait pas d'embrasser Robert Pattinson, ni même de lui parler ou de le connaître. Elle désirait seulement poster son visage à côté du sien sur les réseaux sociaux pour prouver à ses copines qu'elle l'avait vraiment croisé. Nous sommes tous, comme elle, engagés dans cette course effrénée. Petits ou grands, jeunes ou vieux, riches ou pauvres, célèbres ou inconnus, la publication de notre photographie est devenue plus importante que notre signature sur un chèque ou un contrat de mariage. Nous sommes avides de reconnaissance faciale. Une majorité de Terriens hurle dans le vide son besoin insatiable d'être regardée ou simplement aperçue. Nous voulons être considérés. Notre visage a soif de clics. Et si j'ai plus de likes que toi, c'est la preuve de mon bonheur, de même qu'à la télévision, un animateur qui fait plus d'audience se croit plus aimé que ses confrères. Telle est la logique du selfiste : l'écrasement d'autrui par la maximisation de l'amour public. Quelque chose est advenu avec la révolution numérique : la mutation de l'égocentrisme en idéologie planétaire. N'ayant plus de prise sur le monde, il ne nous reste qu'un horizon individuel. Autrefois la domination était réservée à la noblesse de cour, puis aux stars de cinéma. Depuis que chaque être humain est un média, tout le monde veut exercer cette domination sur son prochain. Partout.

Quand Robert Pattinson vint à Cannes lancer son film *Maps to the Stars*, à défaut de selfie avec ma fille Romy, je pus enfin lui soutirer une photo dédicacée. Dans la loge de mon émission, il lui écrivit ce petit mot au feutre rouge sur son portrait arraché dans *Vogue* : « To Romy with love xoxoxo Bob ». En guise de remerciement, elle se contenta d'une question :

— Tu jures que t'as pas signé la photo toi-même ?

Nous avons enfanté une génération dubitative. Mais ce qui me blessa le plus, c'est que jamais, au grand jamais, ma fille n'a réclamé de selfie avec son père.

Cette année, ma mère a fait un infarctus et mon père est tombé dans un hall d'hôtel. J'ai commencé à devenir un habitué des hôpitaux parisiens. J'ai ainsi appris ce qu'était un stent vasculaire et découvert l'existence des prothèses du genou en titane. J'ai commencé à détester la vieillesse : l'antichambre du cercueil. J'avais un emploi surpayé, une fille de dix ans, un triplex dans le centre de Paris et une BMW hybride. Je n'étais pas pressé de perdre tous ces bienfaits. En revenant de la clinique, Romy est entrée dans la cuisine avec un sourcil plus haut que l'autre.

— Papa, si je comprends bien, tout le monde meurt ? Il va y avoir grand-père et grand-mère, puis ce sera maman, toi, moi, les animaux, les arbres et les fleurs ?

Romy me regardait fixement comme si j'étais Dieu, alors que je n'étais qu'un père de famille mononucléaire en stage de formation accélérée à la fréquentation des services de chirurgie cardiovasculaire et orthopédique. Il fallait que je cesse de dissoudre des pilules de Lexomil dans mon Coca matinal afin de proposer une issue à son angoisse. J'ai un peu honte de l'admettre, mais jamais je n'avais envisagé que mon père et ma mère seraient un jour octogénaires, et qu'ensuite ce serait mon tour, puis celui de Romy. J'étais nul en maths et en vieillesse. Sous la chevelure jaune de petite poupée parfaite, deux sphères bleues commençaient de se remplir d'eau entre le four à micro-ondes et le réfrigérateur bourdonnant. Je me suis souvenu de sa révolte le jour où sa mère lui avait appris que le Père Noël n'existait pas : Romy déteste le mensonge. Elle ajouta alors une phrase très aimable :

— Papa, j'ai pas envie que tu meures…

Comme il est délectable de retirer sa carapace… Cette fois c'était moi qui m'embuais en réfugiant mon nez dans la douceur de son shampooing à la mandarine et au citron vert. Je ne comprenais toujours pas comment un homme aussi laid avait pu enfanter une fille aussi jolie.

— T'inquiète pas chérie, lui ai-je répondu, à partir de maintenant, plus personne ne meurt.

Nous étions beaux à voir, comme souvent les gens tristes. Le malheur embellit le regard. Toutes les familles heureuses se ressemblent, écrit Tolstoï au début d'*Anna Karénine*, mais il ajoute que chaque malheur est unique. Je ne suis pas d'accord : la mort est un malheur banal. Je me suis éclairci la gorge comme le faisait mon grand-père militaire quand il sentait qu'il était temps de rétablir l'ordre dans sa maison.

— Mon amour, tu te trompes complètement : certes,

les gens, les animaux et les arbres mouraient pendant des millénaires, mais à partir de nous, c'est terminé.

Il ne me restait plus qu'à tenir cette promesse inconsidérée.

Romy était très excitée à l'idée d'aller en Suisse visiter la Clinique du Génome.

— On mangera une fondue ?

C'est son plat préféré. Toute cette aventure a donc commencé à Genève par notre rencontre avec le professeur Stylianos Antonarakis. Sous prétexte de préparer une émission sur l'immortalité, j'avais obtenu un rendez-vous avec le savant grec pour qu'il nous explique en quoi les modifications de l'acide désoxyribonucléique prolongeraient notre existence. J'avais la garde de ma fille cette semaine-là : je l'ai emmenée. La publication de plusieurs essais transhumanistes m'avait donné l'idée d'organiser un plateau sur « La mort de la mort », avec Laurent Alexandre, Stylianos Antonarakis, Luc Ferry, Dimitri Itskov, Mathieu Terence et Sergueï Brin de chez Google.

Romy dormait, affalée dans un taxi qui longeait le lac Léman. Le soleil allumait la cime enneigée du Jura, où un nuage dégoulinait comme une avalanche de brume translucide. C'est ce paysage blanc qui a inspiré *Frankenstein* à Mary Shelley. Est-ce un hasard si Genève est la ville où le professeur Antonarakis travaille sur la manipulation génétique de l'ADN humain ? Rien n'est dû au hasard en Suisse, la patrie des horlogers les plus méticuleux. En 1816, dans la villa Diodati, Mary Shelley avait senti tout ce que cette cité a de gothique. Le calme et la paix y reposent sur un rationalisme de façade. J'ai toujours trouvé erroné le cliché de la Suisse tranquille, surtout après quelques bagarres de champagne au Baroque Club.

Genève, c'est le bon sauvage de Rousseau domestiqué par Calvin : tout Helvète sait qu'il risque de tomber dans un précipice, de finir gelé dans une crevasse ou noyé au fond d'un lac de montagne. Dans mes souvenirs d'enfance, la Suisse est une contrée de réveillons délirants sur la grande place de Verbier, de coucous étranges, de chalets féeriques dans la nuit, de palaces vides et de vallées hantées par la brume, où seule la Williamine protège du froid. Genève, la «Rome protestante», en deuil de son secret bancaire, me semble l'illustration idéale de l'adage du prince de Ligne : «La raison est souvent une passion malheureuse.» Ce qui me plaît en Suisse, c'est le feu qui couve sous la neige, la folie secrète, l'hystérie canalisée. La vie peut basculer à tout instant dans un univers aussi policé. Après tout, Genève contient le mot «gène» dans son nom : bienvenue dans le pays qui a toujours voulu contrôler l'humanité. Partout sur les bords du lac, des affiches annonçaient une exposition à la fondation Martin Bodmer de Cologny, consacrée à «Frankenstein, créé des ténèbres». J'étais sûr que les Bentley qui glissaient silencieusement autour du jet d'eau regorgeaient de monstres discrets.

— On pourra aller voir cette expo, papa ?

— Nous avons d'autres priorités.

La fondue moitié gruyère, moitié vacherin du Café du Soleil était presque légère. Rien à voir avec les pavés de gras jaune qu'on ingurgite à Paris. Ma fille y trempait sa mie de pain en gémissant de joie.

— Oh là là ! Cha faijait longtemps ! Mmmmm !

— On ne parle pas la bouche pleine.

— Je parle pas, j'onomatopée.

Romy possède d'excellents gènes : de mon côté, elle descend d'une longue lignée de médecins béarnais, et du côté de sa mère, elle a hérité d'un vocabulaire très créatif. Avant de me quitter, Caroline transformait souvent les noms en verbes. Elle créait des mots tous les jours : je vais « pilater » cet après-midi, je « cinoche » ce soir. Un jour, certains de ses néologismes entreront dans le dictionnaire, comme « chipsteriser » ou « instagramer ». Quand elle m'a largué, Caroline n'a pas dit « je te quitte » mais « il est temps de splitter ». Certes, la fondue suisse n'est pas un plat recommandé par l'Organisation mondiale de la santé (20 avenue Appia, 1211 Genève 27), surtout à l'heure du déjeuner. Mais le bonheur de Romy passait avant notre immortalité. Nous avons posé nos valises à La Réserve, un palace au bord du Léman, et tandis que je feuilletais le menu du Spa Santé de cet hôtel, proposant un programme « anti-aging » avec diagnostic génétique de ma « bio-individuality™ », la petite s'est endormie dans le canapé de velours choisi par Jacques Garcia.

Dans le hall d'entrée de l'hôpital universitaire de Genève étaient entreposées de vieilles machines radioactives, d'étranges structures dépassées, ancêtres des scanners. La science nucléaire des années 60 a laissé place aux manipulations infinitésimales, moins encombrantes. Dehors, des groupes d'étudiants en médecine étaient assis dans l'herbe, tandis qu'à l'intérieur du bâtiment, d'autres jeunes internes, en blouse blanche, s'affairaient autour de flacons à bulles, de tubes à essais et de plaquettes de cellules. Ici l'on avait l'habitude de domestiquer l'être humain, de vouloir corriger les défauts d'Homo Sapiens, voire d'améliorer ce vieux vertébré. La Suisse ne se méfiait pas de la posthumanité puisqu'elle savait l'homme imparfait de naissance. Le bonheur ressemblait à un campus sympathique, le futur était un *teen movie* en milieu médical. Romy était enchantée : le jardin mitoyen disposait d'un portique avec des balançoires, un trapèze, des anneaux et un tourniquet.

Au 9e étage se situait le département de Médecine génétique de la faculté. En polo vert bouteille, le professeur Stylianos Antonarakis ne ressemblait pas au docteur Faust mais à un mélange de Paulo Coelho et d'Anthony Hopkins. Aussi bienveillant que le premier, magnétique comme le second. Le président de la «Human Genome Organisation» (HUGO) caressait sa barbiche blanche ou essuyait ses lunettes métalliques comme un professeur Tournesol vaguement dans la lune, tout en expliquant comment l'humanité allait muter dans la joie et la bonne humeur. Romy a tout de suite aimé son côté new age : regard tendre, sourire aimable, futur heureux. Son bureau était un fouillis indescriptible, véritable bric-à-brac d'alchimiste biotechnologique, mais on sentait que son désordre était organisé. Une double hélice d'ADN géante en plastique était posée horizontalement sur une table à tréteaux. Je regardais les titres des livres : « *History of Genetics* vol. 1, vol. 2, vol. 3, vol. 4, vol. 5… » La nouveauté des découvertes génomiques était déjà de l'histoire ancienne pour ce spécialiste d'envergure internationale. Un ordinateur désossé était métamorphosé en pot de fleurs, dans lequel un décorateur post-atomique avait planté des tiges d'acier porteuses de capsules Nespresso aux extrémités, pour fabriquer un bouquet qui ne fanerait jamais.

— Merci, Professeur, de perdre un peu de votre précieux temps pour nous recevoir.

— Nous avons l'éternité devant nous…

Ses yeux bleu glacier suisse étaient assortis au ciel local.

— Pouvez-vous expliquer à ma fille ce qu'est l'ADN ?

— On naît avec un génome individuel : c'est un texte énorme de trois milliards de lettres multipliées par deux (votre père, votre mère). On est tous des individus uniques au monde parce que notre génome est unique, sauf chez les jumeaux monozygotes. Après viennent s'ajouter des mutations somatiques à cause du soleil, de la nourriture, des médicaments qu'on prend, de la pollution de l'air, de l'hygiène de vie, etc. C'est ce qu'on appelle l'épigénétique. Le vieillissement est aussi un phénotype individuel. Certains individus vieillissent plus vite que d'autres.

Le prof parlait le français avec un accent grec chaleureux. On se sentira bien dans le monde d'après

l'homme, s'il est peuplé de clones du docteur Antonarakis.

— Une cellule, c'est immortel. Les humains sont
apparus au Maroc il y a 300 000 ans. Avant, c'était une
autre espèce, et avant, une autre espèce encore. Et le
most common ancestor était une cellule. Cette cellule
est présente chez moi comme chez vous deux. Je passe
cette cellule à la nouvelle génération avec mon sperme
et vous, mademoiselle, vous la passerez un jour avec
votre ovocyte.

Romy était peut-être un peu jeune pour un cours
sur la reproduction. Je me suis dépêché de changer
de sujet.

— Il y a donc quelque chose d'immortel chez nous
tous ?

— Exactement. On ne peut pas créer une cellule
nouvelle. On peut reprogrammer des cellules, on
peut introduire de nouveaux gènes dans les cellules,
on peut effacer certains gènes pour changer le destin
d'une cellule, mais on ne peut pas créer une cellule
vivante nouvelle. On ne peut pas non plus fabriquer
une nouvelle bactérie aujourd'hui, même s'il est pro-
bable que, dans deux ou trois ans, on le pourra.

— Parlez-moi du séquençage du génome.

— Aujourd'hui c'est très facile. On prend 2 milli-
litres de votre salive et on fait une isolation de l'ADN.
Quand j'ai commencé il y a trente ans, on faisait ça à
la main mais maintenant on peut voir vos 3 milliards
de lettres en une semaine. Avec un logiciel informatique très puissant, on peut comparer vos différences
avec la séquence de référence qui a été terminée en
2003. C'était un projet international entamé en 1990,

auquel j'ai eu la chance de participer : le « Human Genome Project ». La base de données est accessible à tout le monde.

— C'est l'Américain Craig Venter qui est l'ADN de référence ?

— Il a fait son séquençage de son côté, parallèlement au nôtre. Aux États-Unis il a été séquencé le premier, avec quelques autres personnes, dont le Prix Nobel de médecine de 1978, Hamilton Smith. C'est une convention : cela ne signifie pas que l'ADN de Craig soit normal, c'est juste qu'il a été décodé le premier, et que depuis, on étudie les variations par rapport à cette référence.

— Papa, je peux aller jouer dehors ?

J'ai regardé le professeur et il m'a regardé. Il était évident que cet entretien sur les progrès de la génétique risquait, pour Romy, d'être moins marrant que d'aller faire de la balançoire dans le parc.

— D'accord mais tu restes près du portique, comme ça je peux te voir par la fenêtre. Et tu laisses ton portable allumé. Et tu ne grimpes pas debout sur la balançoire. Et tu…

— Papa, je suis programmée pour vivre mille ans, alors je peux glisser sur un toboggan. Y aura pas de problème.

Le docteur Antonarakis a éclaté de rire.

— Mademoiselle, votre génome n'a pas encore été séquencé, il faudra vérifier cette information !

Il s'est tourné vers moi :

— Si vous voulez, mon assistante peut l'accompagner pendant notre discussion.

Il a appuyé sur un bouton et une jeune laborantine est

apparue. Sa chevelure brune tranchait sur la blouse blanche, et elle semblait enchantée d'être soudainement promue baby-sitter pour pouvoir prendre l'air. Les deux belles enfants sont sorties du bureau en gloussant.

— Où en étions-nous ? a demandé Antonarakis.

— À Craig Venter. J'ai vu ses travaux sur le Net. Lui c'est vraiment Victor Frankenstein : il a créé un génome synthétique de mycoplasme. Il paraît qu'il a crié « it's alive ! », comme le savant fou de Mary Shelley, vous vous souvenez ? Le docteur Frankenstein crie « Elle vit ! » quand sa créature cousue main ici, en Suisse, se met à respirer, remuer, après quelques décharges électriques, avant de se lever et d'étrangler tout le monde.

— Je n'ai pas lu *Frankenstein* mais je vois bien où vous souhaitez m'entraîner ! Craig Venter a remplacé un chromosome naturel par un chromosome créé dans son labo. Et il a réussi à le réimplanter dans un minuscule organisme vivant. Il s'est même amusé à glisser ses initiales dans son génome : « JCVI-syn3.0 ». C'est une créature artificielle qui vit et prolifère.

— Personnellement, je vois cela comme une expérience ludique entre chercheurs. C'est sûrement passionnant de fabriquer des bactéries sur ordinateur, mais je ne vois pas bien à quoi cela avance l'humanité.

— Un jour, cela peut permettre de créer de nouveaux matériaux, des carburants hybrides, des alliages inédits…

Ici, j'ai fait un truc que font souvent les professionnels de la télévision quand ils sont largués : baisser le nez et lire la question suivante sur mon papier. Je croyais être venu pour préparer un talk-show mais à cet instant précis, j'ai compris que je venais pour autre chose.

— Pensez-vous que le séquençage de mon ADN peut prolonger ma vie ?

— Si vous êtes malade, ça peut permettre de connaître la cause de votre maladie. Il existe environ 8 000 maladies génétiques et avec votre ADN, on peut en diagnostiquer 3 432. On peut aussi effectuer un diagnostic prénatal pour éventuellement interrompre une grossesse à risques. Le séquençage permet aussi la thérapie de certaines maladies génétiques, il renseigne sur les cancers. Tous les cancers sont des perturbations génomiques. Cela permet de catégoriser les différents cancers et de leur trouver une thérapie individuelle. Le séquençage permet enfin d'étudier la prédisposition à certaines maladies, grâce à des outils statistiques. Je ne recommande ces recherches que pour Alzheimer et le cancer du sein.

— Vous, à la Clinique du Génome, vous faites ce type de prédictions. Peut-on dire que l'ADN séquencé a remplacé le stéthoscope ?

— L'État suisse n'aime pas que je dise « Clinique du Génome », il préfère qu'on parle de « consultations génomiques ». Vous vous trompez : nous dépistons les maladies mais pas les prédispositions.

— Quelles sont les prédictions fiables scientifiquement ?

— Si une femme est porteuse d'une mutation du gène BRCA1 ou BRCA2 comme Angelina Jolie, cette femme a une probabilité de développer un cancer du sein de 70 %, alors que la probabilité dans la population générale est de 9 %. Dans ce cas, il faut pratiquer un dépistage tous les six mois ou une mastectomie bilatérale.

Il parlait d'opérations catastrophiques avec douceur. Au mur, des équations chimiques incompréhensibles griffonnées au marqueur cachaient peut-être la fontaine de Jouvence. Les bons médecins ont toujours posé des questions à leurs patients sur leurs parents et grands-parents : prédire l'avenir fait partie de leur job, qu'ils le veuillent ou non. Le cancer est comme un terroriste : il faut le neutraliser avant qu'il ne commette son attentat. Là est la grande nouveauté : avec la génétique, on n'attendra plus d'être malade pour se soigner. Le génome est le *Minority Report* de votre corps.

— Pratiquez-vous ici des manipulations génétiques, oui ou non ?

— Bien sûr. Je m'intéresse à la trisomie 21. J'essaie de trouver tous les gènes importants dans le chromosome 21. Ici on fait des souris transgéniques avec des maladies humaines. J'ai un laboratoire où l'on fabrique des cellules iPS. On essaie différents médicaments contre le retard mental. Il y a de l'espoir. On fait des expérimentations cliniques. Je rêve de voir un jour un trisomique intelligent.

Je ne sais pas s'il mesurait l'aspect scandaleux de cette phrase. Qu'on le veuille ou non, la disparition de la trisomie est un fait depuis l'invention de l'amniocentèse. Nous sommes tous eugénistes, même si nous évitons d'utiliser ce mot.

— Que pensez-vous des transhumanistes californiens

qui veulent corriger, améliorer, «augmenter» l'humanité?

— Avant la Seconde Guerre mondiale, il y a déjà eu ce type de rêve: les expériences du laboratoire de Cold Spring Harbor. C'était la même utopie, très belle, d'obtenir une humanité sans maladies.

— Une «humanité sans maladies»: ce sont les termes exacts qu'emploient Bill Gates (ex-Microsoft), Mark Zuckerberg (Facebook) ou Sergueï Brin (Google), trois hommes parmi les plus riches de la planète. Zuckerberg vient d'annoncer un financement de 3 milliards de dollars pour éradiquer la totalité des maladies avant 2100.

— À l'époque, dans les années 30, les chercheurs de Cold Spring Harbor voulaient faire disparaître les maladies par l'eugénisme. En stérilisant certaines personnes et en forçant l'union d'autres personnes. Ce joli rêve a été repris par les nazis et discrédité depuis. Mais toutes les familles ont envie d'avoir des enfants plus sains que les autres.

— Vous insinuez que les transhumanistes sont des nazis?

— Je dis juste que si l'on change quelque chose dans notre génome, on en ignore les conséquences. Un exemple: en Inde, il y a dix ans, j'ai vu une grande famille de quarante personnes qui avaient toutes six doigts et six orteils. Chaque individu de cette famille possédait vingt-quatre doigts! Je me suis dit: «Ces personnes-là ont un avantage évolutionnaire si elles deviennent pianistes!»

Je surveillais Romy qui se hissait sur un trapèze en me disant que ce Grec sympathique aurait beaucoup plu à Mary Shelley. Derrière son espièglerie affleurait le savant aventureux. Je commençais à avoir mal au ventre mais peut-être était-ce seulement la digestion difficile de la fondue.

— Leurs six doigts fonctionnaient bien ?

— Ils pouvaient s'en servir parfaitement. C'était un petit doigt supplémentaire, articulé. Imaginez pour jouer de la harpe !

— 20 % de technique en mieux, en effet ! Et pour se curer l'oreille aussi...

— J'ai sincèrement pensé à l'époque que ce serait génial si je pouvais introduire cette variation génomique dans toute l'humanité. Donc je leur ai prélevé du sang en pensant améliorer l'espèce humaine. Et j'ai fini par détecter la mutation dans un gène. Ces personnes avaient comme vous et moi deux copies de génome : chromosome de la mère, chromosome du père, et une mutation qui fabriquait vingt-quatre doigts au lieu de vingt. Mais si un membre de cette famille avait cette mutation deux fois – ce qui leur arrivait souvent –, il mourait à huit semaines de gestation. C'était une mutation intéressante à une copie mais délétère en deux copies.

— Zut. Adieu les concerts de harpe.

— Si je vous raconte ce souvenir, c'est pour vous dire que si on touche à notre génome évolutionnaire, on ignore le prix qu'on va payer en tant qu'espèce. Chaque fois qu'on introduit quelque chose dans notre génome, il faut voir quel dommage on cause à notre évolution. Si l'on veut améliorer notre espèce, cela doit être une décision de l'ensemble de notre société.

— Pourtant il est vrai que l'homme n'est pas parfait…

— Exact : la mouche drosophile a des yeux beaucoup plus puissants que nous, les chauves-souris entendent beaucoup mieux que nous. On n'a pas de cage thoracique qui protège notre foie et notre rate, ce qui fait qu'en cas d'accident, on peut mourir d'une hémorragie de ces organes. On ne marche que sur deux pieds, alors que nos ancêtres ne le faisaient pas, d'où des douleurs lombaires. La tuyauterie de l'humain est trop compliquée, la ménopause pourrait intervenir plus tard.

— Et malgré tous ces défauts, il faudrait ne toucher à rien ?

Le docteur Antonarakis s'est levé pour regarder les arbres par la fenêtre. Dans le jardin, la brune en blouse blanche faisait tourner Romy sur un tourniquet analogue aux centrifugeuses aperçues dans le labo, qui permettent de séparer le liquide et le solide. On entendait son rire, à la fois solide et liquide, qui s'envolait dans les airs pour s'écraser contre les baies vitrées, comme un rouge-gorge imprudent.

— Cela fait une demi-heure que nous parlons. Pendant cette demi-heure, des milliers et des milliers de nos cellules ont été renouvelées. Dans mon sang, un million. Dans mon intestin, un demi-million. Pour renouveler les cellules, il faut copier le génome. Six milliards de lettres ont donc été copiées environ deux millions de fois dans les dernières trente minutes. Pour effectuer ce renouvellement des cellules, on a besoin d'un système de copiage extraordinaire et très précis. En fait, ce système n'est pas toujours exact. Il fait des erreurs. Chaque fois qu'on renouvelle des cellules, il y a une erreur sur 10 puissance 8. Une erreur de copiage sur 100 millions, cela fait quarante ou cinquante erreurs sur trois milliards de lettres. Ce sont ces erreurs qui nous donnent la possibilité d'être différents les uns des autres. On en a besoin parce qu'il faut continuer à vivre si l'environnement change. En cas de virus ou de réchauffement climatique, il faut de la diversité pour évoluer. Certaines de ces mutations donnent des maladies, mais c'est le prix à payer pour notre adaptabilité. Un exemple flagrant de l'évolution de notre espèce est le diabète. Il est de plus en plus fréquent parce que la nourriture et le sucre sont abondants. Il y a cent ans, il n'y avait pas de diabète. Les mauvais gènes qui donnent aujourd'hui le diabète étaient des gènes protecteurs il y a trois cents ans, quand nous n'avions pas autant de nourriture.

Je me suis gratté la tête. Voyant qu'il me décevait, le professeur Antonarakis a cherché à me consoler.

— Vous savez, pour rallonger notre espérance de vie, les gens qui rendent l'eau plus propre font plus que toute la médecine et tous les généticiens.

— Professeur, comment faire pour repousser la mort ?

— Notre souci sera le cerveau : on peut régénérer le foie, les intestins, le sang, même le cœur. Mais les cellules du cerveau ne se régénèrent pas. On peut injecter des cellules dans les glandes endocriniennes. Mais je ne pense pas qu'on pourra créer un cerveau artificiel. Il faut se faire une raison. Je rencontre beaucoup de patients qui ont quatre-vingts ou quatre-vingt-dix ans, et ils me disent tous la même chose :

c'est OK de terminer la vie. Il y a un moment où l'on se lasse. Vous verrez ! Il existe une espèce qui s'appelle l'éphémère, qui vit un jour. Tout le cycle : naissance, âge adulte, vieillesse et mort, en une journée. Et peut-être cette espèce est-elle heureuse.

Je me suis passé la main dans les cheveux ; c'est un tic chez moi quand je ne sais plus quoi dire. Je n'admirais pas spécialement le bouddhisme des insectes éphéméroptères. Le soleil descendait rapidement derrière les arbres, je ne voulais pas abandonner Romy plus longtemps. J'ai remercié le gentil généticien qui ne m'avait pas sauvé la vie et me suis dépêché de prendre l'ascenseur. Romy était dans le hall avec la jolie étudiante en médecine. Une pensée tordue m'est venue : si Romy s'entendait bien avec cette jeune femme… peut-être… aurions-nous pu… envisager… éventuellement…

— Papa, je te présente Léonore qui voudrait un selfie avec toi. Elle est fan de tes émissions !

— Mademoiselle, je vous dois bien cela. Je ne sais pas comment vous remercier.

La jolie Léonore avait déjà le portable à la main.

Elle avait un petit menton
À la Charlotte Le Bon.

Clic-clac. La fraction de seconde où je posais près d'elle pour la photo, j'ai tout inspiré. La brune au front bombé venait de se brosser les dents, sa peau avait été savonnée avec un gel douche à la cerise, ses cheveux sentaient la fleur d'oranger, son sourire était sain, c'était le genre de personne qui ne connaissait pas l'existence du second degré. Sa façon de me regarder droit dans les yeux, la bouche entrouverte, signifiait : je sais ce que je veux dans la vie, et tu pourrais peut-être faire partie de mon programme. J'ai soutenu son regard, par défi, jusqu'à ce qu'elle détourne le sien vers les Alpes. Entre ses cheveux et son cou, il y avait suffisamment d'espace pour dévoiler derrière l'oreille, trois centimètres carrés de peau veloutée et nue, où poser ses lèvres serait probablement la meilleure chose à faire cette année. En bref, j'ai eu instantanément envie d'un enfant avec la belle interne. Créer une vie est tellement plus facile pour un homme que de repousser la mort. Je jure que c'est la vérité : je n'avais pas seulement envie de lui faire l'amour mais de voir son ventre grossir avec mon sperme fécondé dedans. Je me sentais un alien en phase de reproduction ; j'avais envie d'enfoncer un tentacule dans cette personne. Je venais de tomber dans un traquenard ourdi par ma fillette avec la complicité du professeur grec. À force de parler ADN, c'était mon sexe qui se prenait pour Victor Frankenstein.

— Votre fille est un amour, dit Léonore en regardant notre selfie sur son mobile. Et une sportive accomplie : une vraie championne au trapèze et à la balançoire !

— Papa, on peut l'inviter à dîner avec nous à La Réserve ? Allez…

— Mais j'ai réservé un massage anti-âge au spa Nescens…

— Elle est d'accord, je lui ai déjà demandé ! Allez, dis oui…

— Eh bien soit, ai-je accepté, avec la même intonation que John Wayne doublé par Raymond Loyer dans *La Prisonnière du désert*.

Ma voix de vieillard me dégoûtait. Plus personne ne disait «eh bien soit» mais c'était sorti comme ça. Certaines rencontres vous mettent en pilotage automatique. Le complot des femmes pour mon bonheur venait de fomenter un nouvel attentat.

On est donc allés s'acheter des meringues, de la double crème et des framboises. On s'est assis tous les trois sur un ponton au-dessus du lac Léman. On a écouté le clapotis de l'eau contre les barques, tout en trempant nos gâteaux dans le pot de crème épaisse. Léonore a expliqué à Romy le principe des neiges éternelles.

— Tu vois là-bas en haut des montagnes, il fait si froid que la neige ne fond jamais.

— Comme la crème dans la moustache de papa?

— Très exactement.

Je me suis essuyé avec la manche de ma chemise. Un canard a cancané sur l'eau miroitante. Le lac étincelait dans le crépuscule, puis il s'est assombri: Dieu venait d'éteindre la lumière. Des nuages étaient arrivés, et un orage d'été s'est déversé juste sur nos têtes. Léonore était encore plus ravissante avec les cheveux trempés: sensuelle comme une photo de Jean-François Jonvelle (un ami mort).

— Léonore, quel est votre groupe sanguin?

— O+, pourquoi?

— Parce que moi aussi. Avez-vous fait séquencer votre ADN? Congeler vos ovocytes? Avez-vous pour projet de conserver vos cellules souches dans un parking de stem cells surgelées? Avez-vous quelque chose contre le brain uploading? Et les self-regenerating blood shots? Voulez-vous m'épouser?

Là, elle m'a pris pour un fou, preuve de sa grande perspicacité. Romy a invité Léonore dans notre suite pour qu'elle se sèche les cheveux. On a regardé *Black Mirror* en finissant les meringues jusqu'à ce que Romy s'endorme. Ensuite sur CNN, on a appris que George Michael venait de mourir à cinquante-trois ans. Ils ont diffusé sa version de «Don't Let the Sun Go Down on Me» en duo avec Elton John. Quand le chanteur, issu de l'immigration grecque comme le professeur Antonarakis (son vrai nom était Kyriacos Panayiotou), a chanté : «All my pictures seem to fade to black and white…», une larme est sortie de mon œil droit, que Léonore a vue descendre dans ma barbe. Je pleurais égoïstement sur ma propre finitude mais elle m'a cru altruiste. Gênée, elle a dit :

— Bon eh bien j'étais ravie de faire votre connaissance, merci pour ce sympathique moment, mais il se fait tard, je crois que je vais vous laisser…

… Je ne l'ai pas laissée me laisser.

Parfois ma timidité se mue en fermeté. Avec l'index, j'ai remis une mèche de ses cheveux derrière son oreille gauche. Mon autre main avait attrapé son poignet. J'ai collé au ralenti ma joue contre la sienne. Tourné mes yeux contre ses yeux, ma tête contre sa bouche. J'ai souri en apnée, puis infiltré ma langue gentiment. C'est ici que l'opération aurait pu s'arrêter. Il aurait suffi d'un mouvement de recul de sa part. Si elle avait hésité, je n'aurais pas insisté : elle pouvait détruire ma vie en un tweet. Mais elle a affûté la langue aussi, et mordillé ma lèvre comme si c'était la sienne. Nous avons soupiré ensemble, peut-être de soulagement. Je crois que nous étions tous deux rassurés que ce baiser porno ne fût pas ridicule. J'ai glissé une main sur son sein et quelques doigts plus bas, sous la fibre de coton. J'ai pu vérifier que mon attirance était partagée. Nos épidermes avaient envie de se contacter. J'héritais d'une femme neuve. Il est rare de connaître des préliminaires aussi évidents. Tout en retirant son tee-shirt j'ai sorti mon sexe dressé. Ce type de manœuvre est généralement compliqué, voire douloureux (caleçon qui freine le passage, tee-shirt coincé sur la tête, bite griffée par la fermeture Éclair : de tels incidents peuvent ruiner un conte de fées). Rien de tel ici. Nos gestes étaient fluides fondus et enchaînés comme dans un rêve érotique avec pollution nocturne. Je crois que Léonore fut surprise par mon impatience ; elle ignorait que je voulais l'engrosser depuis des siècles. Plus rien ne nous sépara, pas même une capote. J'ai aimé Léonore comme on respire l'air pur de la Suisse francophone sous un orage estival. J'ai sali sa propreté avec délice, et ses deux sphères aux pointes dressées comme mon sexe au milieu. Nous avons baisé au garde-à-vous, nos sueurs se sucrant ensemble. Elle murmura à mon oreille :

— On voit que tu fais souvent ça.

Je n'ai pas osé lui avouer qu'elle était la première femme que je touchais depuis deux ans. Elle prenait mon enthousiasme pour de l'habitude et il n'était pas question de dissiper ses illusions. Son plaisir entraînant le mien, j'ai giclé quand elle jouissait. À chaque fois qu'elle criait dans mon oreille, je posais ma main sur sa bouche pour qu'elle ne réveille pas Romy, et ça l'excitait encore plus d'être bâillonnée. Le bon sexe c'est quand deux égoïstes cessent de l'être.

Le lendemain matin, Romy a insisté pour qu'on aille visiter l'exposition sur Frankenstein à Cologny. Il pleuvait encore mais pas cette fine bruine estivale que j'apprécie tant : de grosses gouttes grasses de mousson helvétique s'infiltraient dans nos nuques comme des suçons gelés. On a déposé Léonore à l'hôpital sans trop parler dans la voiture mais ce silence n'était pas lourd, au contraire, c'était le silence de trois personnes qui n'ont pas peur de se taire ensemble, afin de laisser s'exprimer le chant des essuie-glaces. Après son départ, Romy a dit :

— Elle est cool.

— Ça te dérange pas qu'elle soit restée dormir ?

— Non, je suis triste qu'elle soit partie maintenant. (Silence joyeux)

— Bon, on va voir l'expo sur le monstre ?

Le même taxi nous déposa à la fondation Bodmer, devant une imposante demeure posée sur une colline verte qui surplombe le lac Léman. Dans ce musée privé est exposée l'une des plus importantes collections de manuscrits au monde. L'exposition

«Frankenstein, créé des ténèbres» rendait hommage à une source de fierté nationale : Mary Shelley a écrit le grand roman de la vie artificielle dans une villa voisine, durant l'été 1816. La municipalité avait même érigé une statue de Frankenstein sur la plaine de Plainpalais. L'incipit du livre était reproduit en lettres d'or sur le mur d'entrée de l'exposition : «Je suis né à Genève ; et ma famille est l'une des plus distinguées de cette république.»

— Tu vois chérie, Mary Shelley a écrit *Frankenstein* ici même, il y a exactement deux cents ans.

— Bah oui je sais, me répondit Romy en montrant le mur d'entrée, je suis pas idiote, c'est marqué là !

Romy s'arrêtait longuement devant chaque tableau, chaque manuscrit, et lisait toutes les notices dans leur intégralité. Je ne comprenais pas comment j'avais pu engendrer quelqu'un d'aussi méticuleux, moi l'animateur superficiel. Nous avons pu contempler de nombreuses pages manuscrites ainsi que la première édition de *Frankenstein* (1818) dédicacée par Mary Shelley : «To Lord Byron from the author.» Les gravures du monstre errant dans Genève n'effrayaient pas Romy car elle était fan de la série *The Walking Dead*. Les illustrations dans les grimoires de l'expo montraient des squelettes dansants, des cadavres décomposés et les cercles de l'enfer, bref, la tragédie ordinaire de la condition humaine. Je me suis penché sur le journal intime de Mary Shelley. La jeune romancière avait perdu sa mère très tôt. Elle avait écrit *Frankenstein* à l'âge de vingt ans. Ensuite, ses trois enfants étaient morts (typhus, malaria, fausse couche), puis son mari s'était noyé lors d'une sortie en voilier sur la mer d'Italie, tout cela avant que Mary n'atteigne ses vingt-cinq ans. Voici ce qui se passe quand on imagine un personnage qui terrasse la mort : on attire son attention.

Dans sa préface à l'édition de 1831, la romancière écrit à propos de la rédaction de *Frankenstein* : « Ce fut un été humide et rigoureux, et la pluie incessante nous confinait des jours entiers à l'intérieur de la maison. » J'ai relevé la tête pour voir la pluie rebondir sur les vitres et la cour pavée du musée, une eau abondante et noire. « Il faut que cela soit effrayant, ajoutait-elle en parlant de son livre, car l'effet de toute entreprise humaine se moquant du mécanisme admirable du Créateur du monde ne saurait qu'être effrayant au plus haut point. »

— Tu fais quoi ?

— Aah !

Romy m'avait fait sursauter. Je commençais à comprendre comment la météo suisse avait foutu la frousse à la jeune Mary Shelley, puis au monde entier.

— Y a que des vieux bouquins, c'est nul, dit-elle, on peut s'en aller ?

— Attends, il y a un dernier vieux bouquin que je veux te montrer.

Dans la salle des collections permanentes, nous sommes passés devant un exemplaire original du *Faust* de Goethe. Le grimoire était ouvert sur une illustration originale de Delacroix.

— C'est qui Faust ?

— C'est un mec qui veut être immortel. Alors il passe un pacte avec le diable.

— Et ça marche ?

— Au début, oui : il retrouve la jeunesse en échange de son âme. Mais après, ça se complique.

— Et ça finit mal ?

— Forcément : il tombe amoureux.

— C'est ça que tu voulais me montrer ?

— Non.

Quelques mètres plus loin, le Livre des morts égyptien impressionnait par la solennité de ses hiéroglyphes magiques d'outre-sarcophage. Il y a 5 000 ans, un scribe avait dessiné sur ce papyrus le mode d'emploi de l'après-vie. Grosso modo, après le trépas, on pesait notre cœur sur une balance devant les dieux. Notre âme passait un certain nombre d'épreuves (elle devait notamment affronter des serpents, des crocodiles, et de gros insectes dégoûtants) pour « sortir au jour », c'est-à-dire s'élever au ciel dans la barque solaire du dieu Rê, jusqu'à Héliopolis, la cité paradisiaque. Par la suite, les trois religions monothéistes n'avaient fait que plagier ce concept.

— C'est ça que tu voulais me montrer ?

— Non plus.

J'étais attendri. Romy avait sur la tête une mèche rebelle qui me rappela certaines photos de moi à son âge : aimons-nous nos enfants uniquement par narcissisme ? Un enfant est-il un selfie vivant ? Dans une autre salle, nous nous sommes enfin arrêtés devant la Bible de Gutenberg. Le livre sacré étincelait comme une pierre précieuse sous une épaisse vitre pareballes. Les enluminures étaient multicolores, dorées, et les lettres imprimées sur le vélin il y a 562 ans semblaient flotter au-dessus de la page comme des soustitres dans un blockbuster en 3D.

— Voilà : c'est le premier livre jamais imprimé. Il est important que tu voies cet objet, retiens bien ce moment. Bientôt, les livres n'existeront plus.

— Comme ça, je pourrai dire que j'ai vu le début et la fin des livres.

Elle me toisait de ses grands yeux azur qui ne connaîtraient plus jamais la naïveté. Jamais je n'ai été aussi fier d'elle que lorsque Romy prononça calmement cette phrase. Il était grand temps que je fasse connaissance avec ma fille.

La vie est une hécatombe. Un mass murder de 59 millions de morts par an. 1,9 décès par seconde. 158 857 morts par jour. Depuis le début de ce paragraphe, une vingtaine de personnes sont mortes dans le monde – davantage si vous lisez lentement. Je comprends pas pourquoi des terroristes se fatiguent à augmenter les statistiques : ils ne parviendront jamais à assassiner autant de gens que Dame Nature. L'humanité est décimée dans l'indifférence générale. Nous tolérons ce génocide quotidien comme s'il s'agissait d'un processus normal. Moi, la mort me scandalise. Avant j'y pensais une fois par jour. Depuis que j'ai cinquante ans, j'y pense toutes les minutes.

Soyons clair : je ne déteste pas la mort ; je déteste ma mort. Si une large majorité d'humains en accepte l'inéluctabilité, c'est son problème. Personnellement, je ne vois pas l'intérêt de mourir. Et je dirai même plus : la mort ne passera pas par moi. Ce récit raconte comment je m'y suis pris pour cesser de trépasser bêtement comme tout le monde. Il était hors de question de décéder sans réagir. La mort est un truc de paresseux, il n'y a que les fatalistes pour la croire inéluctable. Je déteste les résignés au macabre, qui soupirent en disant «ah làlàlàlàlà, on y passe tous un jour ou l'autre». Allez tous crever ailleurs, faibles mortels.

Tout mort est avant tout un has been.

Ma vie n'a rien d'extraordinaire mais je préfère tout de même qu'elle continue.

Je me suis marié deux fois vainement. Par réaction, j'ai eu, il y a dix ans, un enfant sans me marier avec sa mère. Et puis, à Genève, j'ai rencontré Léonore, la brune convexe, docteur en virologie moléculaire. Je lui ai demandé sa main tout de suite. Je ne suis pas doué pour la drague; c'est pourquoi j'épouse vite (sauf Caroline, et c'est peut-être la raison de son départ). J'ai écrit à Léonore un sms avec Romy: «Si tu viens nous voir à Paris, n'oublie pas d'apporter de la double crème de gruyère, on fournit les meringues.» Je ne pense pas que la métaphore était directement érotique. Je n'arrive pas à définir l'amour: en ce qui me concerne, je le ressens comme une douleur analogue au manque de drogue. Léonore n'a pas seulement épousé un père de famille, elle a été embauchée comme belle-mère par une préadolescente aux yeux clairs. Après notre mariage dans une église rose des Bahamas, Léonore vivait entre Paris et Genève. Nous prenions le TGV Lyria à tour de rôle. Parfois ensemble, pour baiser dedans. On parlait beaucoup en faisant l'amour entre deux wagons et deux pays.

— Je te préviens: je ne prends pas la pilule.

— Ça tombe bien, je veux te féconder.

— Arrête, ça m'excite.

— Mes gamètes veulent tes ovocytes.

— Continue… j'adore…

— Je vais libérer 300 millions de flagelles vers tes trompes de Fallope…

— Oooh putain…

— Est-ce que j'ai une tête à baiser pour le plaisir ?

— Aahh gonade-moi !

Neuf mois plus tard… Lou est arrivée si vite que nous n'avions même pas eu le temps de déménager. J'accélère ce récit pour arriver au but : ce n'est pas la vie, mais la non-mort qui est le sujet de ce livre. Faire un enfant à cinquante ans, c'est essayer de corriger un scénario écrit d'avance. Généralement l'homme naît, se marie, se reproduit, divorce, et puis à cinquante ans il se repose. J'ai désobéi au programme en choisissant la reproduction plutôt que la retraite.

Le soir de la naissance de notre bébé, David Pujadas annonçait au JT que l'espérance de vie des Français stagnait à 78 ans. Il ne me restait que vingt-six années à vivre. Or c'était l'âge de Léonore et nous savions tous deux à quelle vitesse passaient vingt-six années : en cinq minutes.

Vingt-six ans, soit 9 490 jours à vivre. Chaque journée devait être savourée lentement du réveil au coucher, comme si je sortais de prison. Je devais vivre comme si je naissais chaque matin. Voir le monde avec des yeux de bébé alors que j'étais une vieille bagnole d'occasion. Il faudrait m'inventer un calendrier de l'Avent avec 9 490 fenêtres à ouvrir. Chaque jour qui passe est un jour de moins : 9 490 journées me séparent de la Réponse. J'ai appris à ma fille une blague que ma mère m'avait enseignée : retourner la coquille de l'œuf à la coque que l'on vient d'ingurgiter. Lou fait semblant de n'avoir pas commencé son œuf, et je me fâche pour de faux. Elle casse la coquille avec sa cuillère et je fais mine de m'étonner que la coquille soit vide. Nous rions ensemble d'une blague où tout le monde joue la comédie : Lou se force à croire qu'elle m'a bien piégé et je fais comme si j'étais surpris par la même farce tous les jours. Ce petit manège sisyphien ne serait-il pas une métaphore de la condition humaine ? Ta coquille est vide, retourne-la et fais comme si c'était drôle. Vieillir, c'est rigoler à une blague que tu connais par cœur.

Ma peur de la mort est ridicule, je le sais. Il est temps de l'avouer : mon nihilisme est un échec. Je me suis toute ma vie moqué de la vie ; j'ai fait de l'ironie mon fonds de commerce. Je ne crois pas en Dieu : c'est pourquoi je veux survivre. (Même sous-vivre, je m'en contenterais.) Je suis un nihiliste qui a hérité de deux filles. Me voilà forcé de reconnaître publiquement, tout fier et penaud, que donner la vie est la plus importante chose qui me soit arrivée, à moi l'animateur de disputes audiovisuelles et le réalisateur de films satiriques.

Il y a deux sortes de nihilistes : ceux qui se suicident et ceux qui se reproduisent. Les premiers sont dangereux, les seconds pathétiques. Les nihilistes violents ont réussi à déconsidérer mon pessimisme de salon. C'est Cioran que les djihadistes assassinent. J'en veux beaucoup aux islamistes de rendre dérisoire la dérision. Mais c'est ainsi, il me faut l'avouer : toute vie, même nulle, est supérieure au néant, même héroïque. Si l'on ne croit pas en une vie éternelle posthume, on désire forcément prolonger sa propre durée. Et c'est ainsi que, de cynique et mélancolique, l'on devient scientiste et posthumain.

Le récit de vie que vous lisez garantit mon éternisation. Il est conservé sur le logiciel Human Longevity dossier numéro X76097AA804. Nous y reviendrons plus tard.

Jusqu'à cinquante ans, on court dans la foule. Passé cet âge, on est un peu moins pressé d'avancer. Autour de soi l'on distingue moins de monde, et devant, un précipice béant. Ma vie s'est amenuisée. Je sens bien que mon cerveau est plus jeune que mon corps. Je me fais battre au tennis 6-2 par mon neveu âgé de douze ans. Romy sait changer les cartouches de mon imprimante ; j'en suis incapable. Je mets trois jours à récupérer après une soirée tequila. J'ai atteint l'âge où l'on a peur de se droguer : on sniffe des « pointes » à la place des « poutres » d'antan. On a tout le temps l'air coincé parce qu'on se retient de faire un AVC du visage. On boit des verres de jus de pomme avec des glaçons pour faire croire que c'est du whisky. On ne se retourne plus sur les filles dans la rue car on craint d'attraper un torticolis. Dès qu'on veut surfer sur la mer, on chope une double otite. Chaque nuit, on se réveille une ou deux fois pour aller uriner. C'est aussi cela, les joies de la cinquantaine : si l'on m'avait dit qu'un jour j'attacherais ma ceinture de sécurité à l'arrière des taxis !

Les vieux ont tout le temps mal quelque part. Le corps est usé ; il y a très peu de jours sans douleurs idiotes au pied, crampe à la jambe ou élancement intercostal. Sans parler des dommages psychologiques ou nerveux. Le pire étant de se plaindre sans cesse.

La vieillesse consiste principalement à faire chier son entourage. Le vieux râle, se plaint et fait fuir les jeunes.

Le point commun entre tous les quinquagénaires, c'est la trouille. On la vérifie à certains gestes : nous faisons terriblement attention à ce que nous mangeons. Nous arrêtons de fumer et de boire. Nous nous mettons à l'abri du soleil. Nous évitons les oxydations de toute sorte. Nous sommes flippés en permanence. D'anciens fêtards se muent en lâches pétochards craignant pour leur peau. Tenez, même ce mot : « pétochard », est un indice de la vieillesse de l'auteur de ces lignes. Nous protégeons nos derniers instants. Nous signons des contrats d'épargne-retraite, des assurances-vie, des investissements locatifs. Ma génération est passée en un clin d'œil de l'inconséquence à la paranoïa. J'ai l'impression que le changement a eu lieu en une nuit : soudain tous mes potes destroy des années 80 ne jurent plus que par la nourriture bio, le quinoa, le véganisme et les randonnées à vélo. Une sorte de GGBG (Gigantesque Gueule de Bois Générationnelle) s'est emparée de nous. Plus mes amis étaient foncedés dans les toilettes du Baron il y a vingt ans, plus ils me donnent des leçons d'hygiène de vie et de santé aujourd'hui. C'est d'autant plus surréaliste que je ne l'ai pas vu venir ! J'étais peut-être dans un trou noir avec mes divorces et mes émissions de télé, je croyais qu'il était encore cool de se droguer avec des escort girls, je n'avais pas vu le monde changer autour de moi. Des mecs qui terminaient dans le caniveau à 8 du mat' sont devenus des ayatollahs des légumineuses, et mes anciens dealers, des apôtres de la marche en montagne, chaussés de croquenots North Face. Tout d'un coup, si tu allumes une cigarette, tu es un assassin suicidaire ; si tu commandes une caipirovska, un déchet puant. T'as pas lu Sylvain Tesson ? Pauvre de toi. C'est leur passé qu'ils engueulent. Même Sylvain a failli crever à force de grimper bourré sur les toits. Arrêtez d'en faire un moine écologiste ! Tesson est comme moi : un alcoolique russophile qui a peur de crever.

Je me suis mis à regarder toutes les émissions de cuisiniers. « MasterChef », « Top chef », « Les Escapades de Petitrenaud » : je suis un ex-clubbeur reconverti dans la cuisine light. Et puis ce qui devait arriver arriva : je me suis inscrit à un club de gym. Même dans mes pires cauchemars, jamais je n'avais anticipé pareil désastre : moi sur un vélo elliptique, moi secoué par un power plate, moi allongé sur les coudes en position de gainage, moi adossé au mur imitant une chaise, moi tirant sur des élastiques, moi soulevant des poids pour remplacer mes seins par des pectoraux. Durant des siècles, l'homme a combattu dans des guerres héroïques ; au XXIe siècle, la lutte contre la mort prend une autre forme, celle d'un type en short qui fait de la corde à sauter.

J'ai peur parce que Romy et Lou ne méritent pas d'être orphelines. Je cherche à repousser ma fin. La vie se termine et je ne l'accepte pas. La mort ne cadre pas dans mon rétroplanning. Ce matin, j'ai marché pieds nus sur des fraises que mon bébé avait jetées sur le parquet.

Ce bonheur, conquis de haute lutte,

S'achèvera-t-il dans les cinq prochaines minutes ?

Je deviens sourd : je fais répéter les phrases des gens. Mais peut-être n'ai-je aucun problème d'ouïe, peut-être tout simplement que les autres ne m'intéressent pas. J'ai l'âge où l'on commence à boire du Coca Zéro parce que son ventre pousse et qu'on a peur de ne plus voir sa bite. Chaque soir, je compte dans mon bain mes cheveux perdus qui flottent sur l'eau. Avec une pince à épiler, je traque aussi les poils blancs qui poussent dans mon nez et sur mes oreilles, et je rétrécis mes sourcils broussailleux dignes de François Fillon. Je surveille mes grains de beauté comme le lait sur le feu. Je m'habille en costumes «fit» d'Hedi Slimane en espérant que si la mort croise un barbu engoncé dans une veste cintrée, elle se dira qu'il y a erreur sur la personne. Les articulations de mes mains s'engourdissent, mon dos est courbaturé après quinze minutes d'exercice physique. À cinquante ans, on n'a plus le temps de flâner. Le temps est minuté. Ma montre connectée affiche en permanence mes pulsations cardiaques par minute ainsi que le nombre de calories que je brûle en marchant. Mon tee-shirt Hexoskin transmet mon taux de transpiration par Bluetooth vers mon iPhone X. Cela me rassure de connaître ces statistiques vaines. À tout instant, je peux vous énoncer le nombre de pas que j'ai réalisés depuis le matin. L'Organisation mondiale de la santé recommande 10 000 pas par jour ; j'en suis à 6 136 et je suis déjà vanné.

J'ai perdu quelque chose en cours de route et cette chose s'appelle ma jeunesse. Dans notre époque sans relief, seule la mort donne le vertige. Depuis le début de ce chapitre, 10 000 personnes sont mortes dans le monde. D'ici la fin de ce bouquin, je préfère ne même pas dénombrer le carnage ; le charnier serait trop répugnant.

Il y a une chose que je ne comprends pas : pour conduire une voiture, il faut passer un permis, mais pour donner la vie, rien. N'importe quel abruti peut devenir père. Il lui suffit de planter sa graine et neuf mois plus tard, cette responsabilité si écrasante, si gigantesque, lui tombe dessus. Quel homme est préparé à un travail pareil ? Je préconise la création d'un « permis de paternité », avec un examen préalable, comme pour le permis de conduire, où l'on vérifierait la générosité, la capacité à aimer, l'exemplarité morale, la chaleur humaine, la douceur, la politesse, la culture et bien sûr l'absence totale de tendances pédophiles ou incestueuses. Seuls les hommes parfaits devraient être autorisés à se reproduire. Le problème avec le « permis de paternité », c'est que personne de ma connaissance ne l'obtiendrait, et surtout pas votre serviteur. La génération qui instaurera le « permis de paternité » sera sans doute la dernière. Ensuite, plus aucun homme ne sera autorisé à faire des enfants. L'humanité disparaîtra par retrait de permis.

Père est un métier qui s'improvise, même quand

on l'a désiré. Logiquement, la nature a prévu un flot de tendresse filiale, une joie qui vous submerge dès la naissance. Le père hérite d'un bébé qui braille dans ses bras : il tombe amoureux de cette créature bleue et gluante qui agite les pieds. La nature compte beaucoup sur ce moment où un jeune écervelé devient vieux gâteux. C'est le déclic paternel : soudain l'homme ne pense plus à sa voiture, son appartement, son boulot, ni même à tromper la mère de son enfant. L'homme n'est plus un homme, mais un père de famille, le «grand aventurier des temps modernes» selon Péguy : en réalité un imbécile heureux. Sait-il ce qui l'attend ? Non : là encore, la nature est bien organisée. Si les hommes savaient ce qui les attend, ils réfléchiraient avant de se lancer dans un projet aussi insensé. Ils choisiraient des aventures plus faciles : traverser le Pacifique à la nage ou escalader l'Himalaya pieds nus. Des promenades de santé. La paternité tombe sur un incompétent sans avertissement. C'est une catastrophe nommée bonheur.

J'ai deux filles : la première a 10 ans, la seconde vient d'apprendre à dire son prénom. Vous remarquez que j'ai dit «la seconde» et non «la deuxième» : c'est de la superstition. J'espère que l'adage «jamais deux sans trois» ne passera pas par moi, mais en réalité le fait d'écrire cette phrase prouve que je suis déjà préparé au pire. Ai-je été un bon père ? Comment le savoir ? Parfois je fus absent ou inconséquent, maladroit ou simplement idiot ; j'ai fait de mon mieux. J'ai fait des câlins et des bisous, j'ai travaillé pour que mes filles aient une maison propre et une nourriture saine, qu'elles partent en vacances au soleil ; ce genre de choses qu'elles tiennent pour acquises m'ont demandé beaucoup d'efforts. La paternité, pour moi, c'est deux choses : 1) ce qui a donné un sens à ma vie ; 2) ce qui m'a empêché de mourir. Il faut cesser de croire qu'un père est quelqu'un qui s'occupe des autres. C'est faux. Je suis sincère en écrivant cela. Ma génération est celle où ce sont les enfants qui s'occupent des parents. Quand je suis devenu papa, je me prenais pour Kurt Cobain, qui avait aussi une fille. Mais contrairement à lui, je ne me suis pas suicidé. Souvent je pense à Frances Bean Cobain, âgée de vingt-cinq ans aujourd'hui. J'aime un peu moins Nirvana quand je pense à Frances. Père est un job dont on n'a pas le droit de démissionner.

Cela ne m'empêche pas de culpabiliser tout le temps. Je ne suis pas fier de ne pas avoir été capable de rester avec la mère de mon aînée. Comment éduquer une fille quand on a soi-même tout fait pour demeurer infantile ? Je crois que j'ai essayé d'être à la hauteur de l'enjeu. D'être digne de mes enfants, même si mon père s'est moins occupé de moi que ma mère. Ce n'était pas de sa faute, il y a longtemps que tout est pardonné. Je connais tellement de pères qui croient bien s'occuper de leur progéniture, mais qui ne passent jamais un instant seuls avec elle, qui sont au bureau toute la journée et devant l'ordinateur à la maison, qui ne posent aucune question et n'écoutent jamais les réponses, qui mettent des journaux télévisés, des coups de téléphone urgents et des immigrées clandestines entre eux et leurs enfants. Il est tellement facile d'éviter les petites excroissances qui habitent chez soi. On s'arrange pour ne pas leur marcher dessus, alors qu'on devrait plutôt s'en servir pour gravir l'échelon qui manque. Mon père n'a pas eu le choix : sa femme est partie avec ses gosses. C'était à la mode, dans les années 70. Je suis plus ringard d'avoir laissé partir la mienne dans les années 90. Il paraît que notre société est celle des pères absents et démissionnaires : je ne l'ai pas vécu ainsi. Quand je me suis séparé de Caroline, je me suis obligé à m'occuper seul de Romy, un week-end sur deux, puis une semaine sur deux. Je l'ai élevée peut-être davantage que si j'avais vécu avec elle 100 % du temps… Et aujourd'hui, avec Lou, j'expérimente la garde non alternée. Ce n'est pas si pénible de voir quelqu'un grandir tous les jours. J'aurai essayé plusieurs styles de paternité : l'absence, l'alternance, la présence. Il faudra un jour demander à mes filles quel papa elles ont préféré : celui qui part, celui qui reste, ou celui qui clignote ? Il n'y a pas que dans le spectacle qu'on peut être intermittent.

J'ai eu de la chance d'avoir des filles. J'ignore si j'aurais pu admirer autant un garçon : pour moi, la paternité, c'est s'émerveiller devant une frange blonde, des dents piquantes, des oreilles roses, des fossettes gracieuses, une peau de pêche, un profil espiègle, un nez retroussé, des bagues sur les dents, un menton pointu sur un cou de cygne. La paternité, c'est aussi, par flemme, de laisser l'infante jouer à son jeu vidéo ou regarder *Harry Potter* pour ne pas avoir à s'en occuper en dehors des repas. Le divorce m'a obligé à jouer à des jeux chiants, comme le Uno (une sorte de variante contemporaine du Mille Bornes de mon enfance). Aujourd'hui ma fille aînée me surpasse dans beaucoup de domaines. Elle m'écrase 21-08 au ping-pong. Elle parle espagnol couramment. Elle veut faire du cinéma comme Sofia Coppola (ce qui fait de moi Francis Ford !).

On dit parfois que les films d'un cinéaste sont ses enfants. J'ai rarement entendu plus grosse connerie. Je n'ai produit que deux chefs-d'œuvre, et ils ne sont pas en pixels.

J'étais comme tout le monde : je voulais une maison avec piscine à Los Angeles, et s'il y avait une salle de cinéma, un bar et un strip-club au sous-sol, c'était encore mieux. C'était la première fois que toute l'humanité voulait habiter au même endroit.

J'ai négligé de me présenter parce que la plupart d'entre vous me connaissent déjà. Inutile de raconter une vie qui ne m'appartient plus puisqu'elle est exposée dans *Voici* chaque vendredi. Je préfère vous parler de ce qui m'appartient : ma mort.

Je suis allergique à l'automne, car ensuite vient l'hiver et que je n'ai pas besoin de l'hiver : il fait déjà très froid en moi. Je suis le premier homme qui sera immortel. Ceci est mon histoire ; j'espère qu'elle durera plus longtemps que ma notoriété. Je porte une chemise bleu nuit, un jean bleu nuit et des mocassins bleu nuit. Le bleu nuit est la couleur qui me permet de porter le deuil sans imiter Thierry Ardisson. J'anime la première émission chimique au monde. Vous m'avez forcément vu dans mon « chemical show » sur YouTube, là où les lois françaises ne s'appliquent pas, où la télévision a tous les droits, sans la moindre censure. C'est une émission de débats où j'organise des engueulades sur des sujets d'actualité. L'originalité du concept est que tous les invités sont obligés de gober un comprimé une heure avant l'antenne : Ritaline, méthadone, captagon, Xanax, Synapsyl, Rohypnol, LSD, MDMA, Modafinil, Cialis, Solupred, kétamine ou Stilnox, au hasard. Ils piochent leur gélule dans une jarre recouverte de soie noire sans savoir quelle molécule ils vont avaler. Amphétamines, opiacés, cortisone, somnifères, anxiolytiques, excitants sexuels ou hallucinogènes psychédéliques : ils ignorent dans quel état ils abordent la conversation la plus médiatique de leur vie. Le résultat score des millions de vues sur toutes les plates-formes. Pour le style d'animation, je me situe à mi-chemin entre Yann Moix et Monsieur Poulpe – intello mais déconneur (le communiqué de presse dit « pertinent et impertinent »). J'ai un vernis de culture générale mais je ne l'étale pas pour ne pas faire fuir les incultes : le genre de salaud capable de naviguer aisément entre théologie et scatologie. La semaine dernière, un ministre s'est endormi sur mon épaule en suçant son pouce au lieu de défendre son projet de loi, une comédienne a glissé sa langue dans ma bouche en dévoilant sa poitrine (j'ai dû appeler le service d'ordre pour l'empêcher de se doigter devant la caméra 3), et un chanteur a fondu en larmes avant d'uriner dans son froc en parlant de sa mère. Quant à moi, cela dépend : une fois j'ai mis dix minutes à articuler « Madame, Mademoiselle, Monsieur, bonsoir », une autre j'ai interviewé mon fauteuil pendant une demi-heure (je faisais les questions et les réponses),

le mois dernier j'ai vomi sur mes «blue suede shoes».
Ma plus célèbre émission est celle où j'ai fouetté mon
casting d'invités avec ma ceinture Gucci avant d'arro-
ser le décor de champagne en annonçant l'infarctus
de ma mère. Je ne me souviens absolument pas de ce
long monologue paranoïaque qui a scoré quatre millions de vues sur YouTube : je refuse de le visionner ;
il paraît que je bavais. Quand mes invités ne se dis-
putent pas assez, je regarde mes fiches : mon assistante
y a toujours préparé une liste de questions embarras-
santes pour les déstabiliser. Ils repartent tous furieux.
Certains me demandent de les «arranger» au montage. Je leur apprends alors, avec une sincère com-
passion, que l'émission était diffusée en direct. (On
dit «live hangout» mais c'est comme un bon vieux
plateau de «Droit de réponse».) Personnellement, je
ne comprends pas pourquoi des artistes viennent se
ridiculiser dans mon studio alors que je suis le seul
à être payé (pas cher : 10 000 € par semaine, on n'est
plus dans les années 90). Les audiences plafonnent
en ce moment, c'est pourquoi je me suis lancé dans
la réalisation de films. Sur le tournage de mon premier long, quand les techniciens me trouvaient trop
impatient, je leur disais : «Pourquoi on ne tourne que
deux minutes par jour ? Sur YouTube, ça me prend
une heure et demie pour tourner 90 minutes !» On
devrait tourner les films en direct ; ça prendrait moins
de temps, une seule prise et ce serait dans la boîte,
comme chez Iñárritu ou Chazelle. La mode des longs
plans-séquences vient de là : le public ne veut plus
de cinéma, il veut contempler la vie sur un écran, ce
qui n'est pas la même chose. Les acteurs de cinéma

feraient moins de caprices s'ils avaient le même trac que des comédiens de théâtre. J'ai sorti une comédie romantique, *Tu m'aimes ou tu simules ?* – financée par une ancienne chaîne à péage –, qui a totalisé 800 000 entrées : la chaîne démodée est rentrée dans ses frais, malgré une presse «partagée». Mon deuxième film, *Tous les mannequins du monde*, était plus méchant : il n'a pas reçu d'argent des télés et a attiré quatre fois moins de monde. Je ne sais pas encore si je vais en réaliser un troisième depuis que j'ai trouvé un autre moyen de devenir éternel.

AVANTAGES ET INCONVÉNIENTS DE LA MORT

AVANTAGES DE LA MORT	INCONVÉNIENTS DE LA MORT
Abrège la souffrance des vieux	Prive leurs enfants de leur expérience
Enfin débarrassé de cette vie sordide	Ce qui est le plus sordide dans la vie, c'est qu'elle finisse
Ne plus voir les imbéciles et les moches	Rater les mille prochaines saisons de *Black Mirror*
Refuser de devenir un légume	Tant de livres à lire et de films à voir
Ne pas être un poids pour la société	Tu as cotisé à la Sécu et aux retraites, pourquoi culpabiliser ?
Pourquoi vivre si l'on ne baise plus ?	Le Viagra existe pour hommes et femmes

AVANTAGES DE LA MORT	INCONVÉNIENTS DE LA MORT
C'était mieux avant	Ce sera mieux après
Libère de la place sur la planète surpeuplée	Il suffirait de coloniser Mars
Je ne comprends plus mon époque	Ce serait dommage de ne pouvoir critiquer les prochains siècles
C'est beau, le suicide	On peut toujours se tuer plus tard
Quel ennui de vivre 300 ans	Personne n'a jamais essayé
La vieillesse est un naufrage	Woody Allen a réalisé *Café Society* à 80 ans
Ne plus avoir à subir l'art contemporain	Tant de vieux musées à visiter sur terre
De toute façon c'est la fin du monde	Ce serait dommage de louper pareil spectacle
Niquer les 70 vierges du jardin d'Allah	Et s'il n'y en avait que 69 ?
Évite de voir ses enfants devenir vieux	Ce serait dommage de louper pareil spectacle
J'aurai un bel enterrement	Je ne serai pas là pour le voir
On me regrettera…	… pendant trois jours !
On peut mourir dans la dignité à Lausanne	C'est tout de même moins marrant qu'un don à la Banque du sperme
À partir d'un certain âge, on devient vraiment imbaisable	Quatre mots : Clint, Eastwood, Sharon, Stone

AVANTAGES DE LA MORT	INCONVÉNIENTS DE LA MORT
La vie est crevante	Mourir est donc un truc de paresseux
Plus de factures ni d'impôts à payer	Tes enfants devront régler tes droits de succession
Plus besoin de mentir sur son âge	Adieu les cadeaux d'anniversaire
Quand on est vieux, on n'a plus le droit de boire, ni de se droguer	Quatre mots : Keith, Richards, Michel, Houellebecq
Permet d'échapper aux réunions familiales (Noël, Nouvel An)	Tu verras quand même ta famille à la Toussaint
Tout le monde dit du bien des morts	Tu ne liras pas ta nécrologie
Tu peux enfin te reposer	Une detox suffit pour ça
On est tous égaux à l'heure de notre mort	T'as qu'à voter communiste
Je n'aurai plus à supporter les émissions de télé réalité	Tu peux éteindre la télé sans éteindre la réalité
Personne n'est obligé de vivre éternellement	Si tu n'aimes pas la vie, n'en dégoûte pas les autres
La mort est une fin	La vie est un préalable
Sans la mort, de quoi parlerait la littérature ?	L'art ne sert à rien d'autre que célébrer la beauté de ce qui existe
La mort donne du prix à tout	Qui nous prouve que la vie ne serait pas plus précieuse si elle était abondante ?

AVANTAGES DE LA MORT	INCONVÉNIENTS DE LA MORT
L'*Ophélie* de Millais	Les affreux tatouages de crânes mexicains
Le cimetière du Père-Lachaise	… affiche complet.
« La mort nous aide à vivre. » (Lacan)	« La mort est une solution finale. » (Hitler)
Fait plaisir à ceux qui ne nous aiment pas	Fait trop souffrir ceux qui nous aiment
Sans la mort, Goethe n'aurait pas écrit *Faust* et Oscar Wilde n'aurait pas écrit *Le Portrait de Dorian Gray*	Sans l'immortalité, les Sumériens n'auraient pas écrit *Gilgamesh* et Bram Stoker n'aurait pas écrit *Dracula*
Et à quoi servirait le Panthéon ?	Et à quoi servirait l'Académie ?
C'est cool que les cons meurent	C'est con que les cools meurent
Ne pas ressembler à Jeanne Calment	Ne pas battre le record de Jeanne Calment (122 ans, 5 mois et 14 jours)
C'est la detox ultime, l'apothéose de la rehab…	… accompagnées d'un gros syndrome FOMO (Fear Of Missing Out)

Depuis que l'humanité existe, on dénombre environ 100 milliards de morts. Je ne prétends pas que l'immortalité sera facile à atteindre. Je suis jaloux de l'âge de mes filles. Elles verront le XXIIᵉ siècle. André Choulika, le P-DG de Cellectis (leader français de la recherche en bio-techno-génomique), affirme que les bébés nés après 2009 vivront cent quarante ans. J'envie Romy et Lou. Je suis un sale égocentrique qui refuse de libérer la place. Mon métier est éphémère; je sais très bien que tout ce que je produis à la télévision sera oublié après mon départ. Ma seule chance d'exister est de m'accrocher à la vie et aux écrans, petits ou grands. Tant que je serai présent à l'image, on se souviendra de moi. Ma mort sonnera le glas de mon œuvre. Je serai pire qu'oublié: remplacé. C'est drôle de voir certains animateurs de flux, sentant leur gloire menacée (Drucker, Pivot, Arthur, Cauet, Courbet), se précipiter sur les scènes de théâtres de province, dans le but de grappiller quelques miettes de gloire, en narrant leurs souvenirs devant de vieilles téléspectatrices endormies, aux cheveux mauves. Ils ont passé leur vie à poser des questions à des artistes, et soudain, quand le manège s'arrête, ils veulent recevoir des ovations à leur tour, mais personne ne les interviewe, il est trop tard, ils se retrouvent imitateurs de Johnny ou de Modiano à la salle des fêtes de Romorantin. Ils voudraient quitter le futile pour la permanence, remplacer la célébrité par la postérité. Le cas le plus angoissant est celui de Thierry Ardisson, qui m'a fait débuter dans le métier. Alors que Thierry rêvait d'être écrivain, rien de ce qu'il prononce n'est de lui : ses prompteurs, ses blagues et ses questions sont rédigés par des pigistes. Tout ce qu'a fait Thierry Ardisson, depuis trente ans, c'est lire des textes écrits par d'autres. Il n'est pas surprenant que son obsession consiste désormais à éditer des coffrets de compilations de ses vieilles émissions – ce romancier frustré souhaite à tout prix occuper une place sur votre étagère. Si je veux échapper à ce destin funeste, je dois m'éterniser pour de vrai. Physiquement, c'est-à-dire médicalement.

Dans un monde où les hommes sont mortels, tout optimiste est un escroc.

J'ai perdu mes rares amis. Christophe Lambert, DG d'EuropaCorp, emporté par un cancer à 51 ans. Jean-Luc Delarue, président de Reservoir Prod et voisin de la rue Bonaparte, envolé à 48 ans. Philippe Vecchi, son coloc, à 53 ans. Maurice G. Dantec, auteur cyberpunk, parti à 57 ans. Richard Descoings, le directeur de Sciences-Po, mort d'une crise cardiaque à 53 ans. Frédéric Badré, le fondateur de la revue littéraire *Ligne de risque*, mort d'une maladie neurodégénérative à 50 ans. Mix & Remix, de son vrai nom Philippe

Becquelin, qui illustrait ma chronique dans *Lire*, mort d'un cancer du pancréas à 58 ans. Je les ai tous invités à la télé : c'étaient de bons clients, toujours prêts à se donner en pâture, sans langue de bois. Je me souviens de Dantec allumant un pétard avec une page arrachée des Évangiles en marmonnant : « Pardonnez-leur, ils ne savent pas ce qu'ils font. » Jean-Luc avait arraché sa chemise pour se lancer dans un cours de breakdance sur le sol. Christophe avait mimé une corrida, son associé Luc Besson faisant le taureau, les doigts pointés sur le front en guise de cornes. Philippe dansait le pogo à pieds joints sur « Should I Stay or Should I Go » , Richard avait gagné le concours d'« air guitar », Frédéric imitait tous les cris d'animaux, l'autre Philippe dessinait des vagins dentés. Ils pensaient qu'ils n'avaient rien à perdre. Quelques mois plus tard, ils perdaient tout. La mort est de moins en moins une abstraction quand on dépasse la cinquantaine. Je déteste sa manière insidieuse de se rapprocher à chaque check-up. Elle me fait penser aux pluies de flèches du film *The Revenant* : il faut courir, slalomer comme Leonardo DiCaprio pour éviter le sifflement qui nous frôle, brûlant et venimeux. Je ne cesse d'accélérer ma course en zigzag. J'aimerais prendre du repos, souffler un peu, mais pour me reposer, j'ai besoin d'une nouvelle vie, comme dans *Call of Duty*, où ressusciter ne prend que deux clics après une fusillade. Donnez-moi s'il vous plaît quelques décennies de rabe et je promets d'en faire meilleur usage. *I am still hungry. I need seconds, OK ?* Une poignée de secondes. Une seconde vie.

Je ne suis pas pressé de devenir orphelin. Je n'ai

pas aimé le spectacle parental : ceux qui m'avaient donné la vie, allongés dans des lits d'hôpitaux, cela avait quelque chose de vulgaire, de prévisible, comme un mauvais scénario de feuilleton. Quelque chose me disait que je devais les sauver. Je ne voulais pas les perdre ; ils étaient mes boucliers humains. Le fait de m'avoir donné la vie ne méritait pas la peine capitale.

Mon père en rééducation avec des béquilles aux Buttes-Chaumont, ma mère cassée en morceaux à Cochin après une chute : aucun des deux ne semblait se douter qu'ils finiraient seuls. La cruauté de la fin de vie de mes parents en faisait deux publicités contre le divorce et les maladies cardiovasculaires. Ils avaient vécu séparément mais je m'imaginais sottement qu'ils auraient dû mourir ensemble. Durant des mois, je tournais mes émissions avec le sourire le plus artificiel possible, un rictus de mauvais acteur kéblo sous coke, quand la caméra passait au rouge sur mon plateau. J'ai commencé à animer des galas de charité à cette époque-là : le Téléthon, le Sidaction, le Concert contre le Cancer… Cela me révoltait de souffrir pour un événement aussi banal que la maladie de mes parents, de découvrir que j'avais un cœur capable d'une émotion aussi prévisible statistiquement. Le dessinateur Joann Sfar m'avait prévenu lors d'un déjeuner au Ritz :

— Quand tu perds tes parents à dix ans, tout le monde te console, tu deviens un être intéressant ; quand tu les perds à cinquante, personne ne te plaint, c'est là que tu es vraiment l'orphelin le plus seul du monde.

Si je les perdais, je savais que plus personne ne s'intéresserait à moi autant qu'eux. Donc ma tristesse était encore du narcissisme. Pleurer ses parents, c'est pleurer sur sa propre solitude. Je suppliais la maquilleuse de masquer mon chagrin avec du fond de teint opaque, et je beuglais mon prompteur pour couvrir les applaudissements du chauffeur de salle : « Amis mortels, bonsoir et bienvenue : ceci n'est pas une émission, c'est une ordonnance ! »

Une menace plane sur le bourgeois européen ; notre confort est provisoire, nous avons appris à faire comme si le chaos absolu qui règne entre le Big Bang et l'Apocalypse pouvait être organisé par notre smartphone, entre deux attentats-suicides en live sur Periscope, et un Snapchat de notre plat du jour. Depuis notre naissance, on nous répète que nous allons mal finir. Avant de commencer cette enquête, je savais que l'homme était un corps mais pas un aggloméré de milliards de cellules reprogrammables. J'avais entendu parler des cellules souches, des manipulations génétiques, de la médecine régénérative, mais si la science ne sauvait pas mes parents, à quoi servait-elle ? À nous préserver, ma femme, mes filles et moi – les prochains candidats sur la *death list*.

Le déclic fut l'émission du Nouvel An. Comme chaque année, je l'enregistrais pour pouvoir passer Noël à Harbour Island. Entouré de danseuses du Pink Paradise et de comiques professionnels, je faisais semblant d'être le 31 décembre et d'attendre minuit pour le compte à rebours : « Cinq ! Quatre ! Trois ! Deux ! Un ! BONNE ANNÉÉÉÉE LA FRAAANCE ! », alors que nous étions en train de nous congratuler le 15 novembre dans un studio glacial de Boulogne-Billancourt, aux alentours de

19 heures. Et nous recommencions trois fois le *count-down* parce que les ballons de baudruche n'étaient pas descendus à temps. Il se trouve que cette année, deux invités sont décédés entre l'ampexage et la diffusion. Une chanteuse toxicomane et un humoriste gay n'ont pas passé l'année. Par leur faute, quatre heures de faux direct furent trappées : deux millions d'euros passèrent sous le nez de mon producteur (moins ma com') ; après visionnage, l'émission était indiffusable, même remontée – ce con de comique décédé ayant fait le mariole sur tous les plans larges. Tous mes invités étaient furax ; tous ces ringards s'étaient emmerdés à faire semblant de fêter le réveillon en smoking et robe du soir, une mascarade durant tout un après-midi d'hiver pour zéro UBM. Ce fut la goutte d'eau : j'en ai eu marre que la mort vienne me gâcher la vie. C'est à partir de là que j'ai commencé à me renseigner de plus près sur les progrès de la génétique.

Le monde actuel me donne l'impression d'un encombrement accéléré. Comme si nous étions coincés dans un embouteillage mais qu'au lieu de rouler lentement, les véhicules collés les uns aux autres fonçaient pied au plancher, à 200 km/h, vers le vide, comme dans *Fast & Furious 7*, quand la Lykan HyperSport de Vin Diesel saute d'un building d'Abu Dhabi pour entrer au 74e étage d'un autre building d'Abu Dhabi qu'elle détruit intégralement avant d'atterrir dans un troisième gratte-ciel d'Abu Dhabi. C'est une cascade spectaculaire mais avons-nous envie d'une vie de *stuntman* ? On vieillit de plus en plus tôt : à trente ans déjà, la génération suivante est incompréhensible, son sabir inintelligible, son mode de vie abscons, et elle, si pressée de te pousser dehors. Au Moyen Âge, à cinquante ans, nous étions tous morts. Aujourd'hui on s'inscrit à Club Med Gym et l'on gesticule sur un tapis en mousse en regardant Bloomberg TV, avec ses chiffres qui défilent dans tous les sens. Je suis sûr que si j'ouvrais un club de sport nommé Death Row, les gens se battraient pour y cotiser.

Si vous me prenez pour un fou, refermez ce livre. Mais vous ne le ferez pas. Parce que vous êtes comme moi, un «sujet autonome», selon l'expression du sociologue Alain Touraine, c'est-à-dire un individu libre et moderne, sans attaches rurales, ni communauté religieuse. Une étude marketing de ma boîte de prod' a montré que je n'attire que les célibataires urbains, les déracinés, les atypiques, les CSP+ et les athées à fort pouvoir d'achat; les autres ne font pas partie de mon public. Le sondeur qui avait interrogé le panel sur mon image citait dans son rapport le philosophe allemand Peter Sloterdijk, parlant de l'homme contemporain comme d'un «citoyen autogénéré» et d'un «bâtard sans généalogie». J'ai failli mal le prendre mais, en sortant de la présentation, je me suis regardé dans le miroir de l'ascenseur pour constater que j'ai bel et bien une tête de «créature du disconti-nuum». J'appartiens à la première génération humaine élevée sans patriotisme, ni orgueil familial, ni racines profondes, ni appartenance locale, ni croyance parti-culière, hormis le catéchisme d'une école catholique durant la petite enfance. Il s'agit d'un fait de société sur lequel je n'ai nulle complainte réactionnaire : je constate seulement une réalité historique. Je suis la conséquence d'une utopie démodée, celle des années 70, durant lesquelles les habitants des pays occidentaux ont tenté de se débarrasser de tous les boulets des siècles précédents. Je suis le premier homme sans boulet au pied. Ou le dernier boulet au pied de la génération suivante.

Personne ne souhaite la mort, à part les dépressifs et les kamikazes. S'il y a une chance sur huit milliards que je parvienne à prolonger ma vie de deux ou trois siècles, vous aurez envie de m'imiter. Gardez bien à l'esprit cette réalité : vous allez mourir parce que vous vous laissez faire. Vous mourrez et pas moi. L'humanité a tout dompté : les océans les plus profonds, les montagnes les plus inaccessibles, même la Lune et la planète Mars. Le moment est venu pour la médecine d'euthanasier la mort. Ensuite, on se débrouillera pour trouver de la place pour loger la surpopulation. Il n'y aura plus de Sécurité sociale dans vingt ans. Avec le vieillissement massif de la population, le déficit colossal des comptes sociaux mènera au chacun pour soi : les riches ne paieront plus pour sauver les pauvres. À moins de reporter l'âge de la retraite à 280 ans… Quant aux mutuelles et compagnies d'assurances, un rapide séquençage de notre ADN leur indiquera le niveau de risque-santé et un algorithme calculera les cotisations en fonction. L'augmentation de la durée de vie aura une conséquence positive sur le plan financier : tout le monde pourra s'acheter des maisons très chères en s'endettant sur plusieurs siècles (sauf en cas de génome déficient). Exemple : un crédit de 10 millions est remboursable sur trois cents ans, avec des mensualités de 2 700 €. Vous désirez un yacht ? Aucun problème si vous avez des siècles devant vous.

Je vous épargne le baratin des religions sur la vie après la mort. Je ne suis pas adepte des casinos, ni du PMU : ne comptez pas sur moi pour lancer des paris. Je me fiche d'une vie après la mort, ce que je veux c'est prolonger indéfiniment mon existence avant la Faucheuse. Le catholicisme prie pour la vie éternelle ; moi, je veux la vie éternelle sans prier. Le problème avec Dieu c'est que si l'on n'y croit pas, on a franchement l'air d'un paumé. Surtout à cinquante ans, quand le corps se met à dysfonctionner ; une situation dont on sait, malgré tous les efforts, les crèmes anti-âge, les injections de botox, les implants capillaires et les massages ayurvédiques, qu'elle ne fera qu'empirer, jusqu'à la défaite ultime. C'est pour cette raison que les fidèles des messes ont tous plus de cinquante ans. L'Église, c'est le spa de l'âme.

Aurais-je perdu le goût du vide ?

2

GONZO CHECK-UP
(Hôpital européen Georges-Pompidou, Paris)

« Vivre, comment ? »

BOULGAKOV, *La Garde blanche*, 1926

Je permets à Romy tout ce que sa mère lui interdit : manger du beurre de cacahuète et des Mi-cho-ko avant le dîner, regarder la télé jusqu'à minuit, téléphoner dans son lit, passer son temps sur FaceTime avec ses camarades de classe… Quant à Lou, rien ne lui résiste, et surtout pas moi. Mes émissions passent après sa peinture à l'eau. Mes filles m'ont appris à ne plus gaspiller mon temps. La hiérarchie de mes priorités a fortement évolué dans les années 2000 : fabriquer un hippocampe en pâte à modeler est devenu plus urgent qu'un threesome avec deux Slovaques. Une journée réussie, c'est Lou qui regarde *Pierre Lapin* et moi qui regarde Lou, en buvant de la bière (j'ai remarqué que l'alcool me met à son niveau ; l'adulte bourré est l'équivalent du bébé, en plus mou).

Hier j'ai rêvé que mes parents étaient incinérés. Lou jouait avec leurs urnes dans mon salon. Elle renversait les cendres de ma mère sur la moquette. Un tas de poussière grise était répandu sur le sol. Puis je m'apercevais qu'elle avait aussi vidé les cendres de mon père. Impossible de les séparer : mes parents formaient un monticule poudreux au milieu du living-room. Je me suis réveillé au moment où mon robot Dyson 360 Eye aspirait simultanément ma mère et mon père.

Il existe de nombreuses méthodes pour vaincre la mort, mais elles sont réservées à quelques milliardaires chinois ou californiens. Mieux vaut être un posthumain en vie qu'un humain en poudre. J'ai compris que je ne tenais pas tant que cela à mon humanité, sinon j'aurais choisi une autre activité professionnelle qu'animateur télé. Je ne suis pas un intégriste du corps biologique. S'il faut me transformer en machine pour durer, je renonce sans état d'âme à mon humanité déjà approximative. Je ne dois aucun respect à la Nature, cette meurtrière. De toute façon, j'ai tout gâché dans ma vie. J'ai besoin d'une deuxième chance : je ne demande pas grand-chose, juste un siècle supplémentaire. Une existence de rattrapage.

Lou me regarde droit dans les yeux et réclame des baisers papillon. Je cligne des paupières sur ses joues. Puis elle réclame la petite bête qui monte qui monte. Je m'exécute. « Encore. » Elle glousse quand mes doigts chatouillent son cou. « Encore. » J'aime ce délicieux moment matinal où Lou me préfère à Tchoupi.

Je profite de ces commencements qui vivifient mon agonie.

La première étape de ma quête d'éternité consista à effectuer un check-up chez le médecin préféré des stars au service d'explorations fonctionnelles et de médecine prédictive de l'hôpital européen Georges-Pompidou, dans le 15e arrondissement de Paris, près de l'ancien siège social de Canal +, dessiné par Richard Meier, studio où se tournent à la fois mon émission et «Quotidien» de Yann Barthès.

Frédéric Saldmann est un cardiologue et nutritionniste célèbre dont le premier livre, *Le meilleur médicament, c'est vous*, s'est écoulé à 550 000 exemplaires. En principe, il faut deux ans d'attente pour obtenir une consultation avec lui, mais je suis une célébrité et nous ne vivons pas dans un système tout à fait démocratique. J'ai tendance à faire confiance à Saldmann. Un médecin aussi exposé médiatiquement sera plus vigilant que ses confrères : il sait que mon trépas nuirait grandement à sa réputation.

L'hôpital de verre et d'acier ressemblait à un gigantesque vaisseau spatial hérissé de structures tubulaires comme le terminal 2E de l'aéroport Charles-de-

Gaulle. Au centre, deux palmiers géants apportaient une touche d'exotisme écologique. Ce décor aurait été parfait pour tourner un clip de U2 ou héberger une fondation d'art contemporain. Le design faisait partie de l'utopie, il fallait du spectacle sinon personne n'y croirait : la médecine a peu évolué depuis les pièces de Molière. C'est à l'hôpital Pompidou que le premier cœur artificiel total Carmat a été implanté. Certes, le patient greffé est mort trois mois plus tard, mais la tentative était louable. *Les Échos* ont même cité cet établissement futuriste, dans leur édition du 24 octobre 2016 : « Les espoirs les plus fous de régénérescence tissulaire ont été ravivés au début de l'année après la présentation, au service du professeur Philippe Menasché à l'hôpital européen Georges-Pompidou, de la première patiente victime d'un infarctus et traitée avec succès à l'aide de cellules cardiaques dérivées de cellules souches embryonnaires humaines. » Je sais où prolonger maman si son cœur se remet à tousser.

Dans le couloir du 2ᵉ étage, bâtiment C, je suis passé devant le service de « Pharmacologie/Toxicologie ». Je l'ai pris pour un avertissement personnel. En traversant le hall d'accueil, j'ai croisé beaucoup de vieillards qui tremblaient, courbés ; ils ne semblaient pas savoir qu'on n'était plus obligé d'y passer. Des internes couraient vers des microscopes électroniques mais la star de l'étage se tenait debout, immobile, devant moi. Âgé de soixante-quatre ans, le docteur Saldmann en fait dix de moins. Mince, enjoué, le médecin d'Alain Delon, Sophie Marceau, Bernard-Henri Lévy, Isabelle Adjani, Jean-Paul

Belmondo et Roman Polanski m'a tendu la main pour m'entraîner dans son petit bureau. Ici l'on ne lavait pas les draps souillés de personnes grabataires ; l'on envisageait le prolongement de l'humanité par d'autres moyens que la couche « Confiance ». Saldmann portait une blouse blanche et des lunettes à monture d'acier chromé. Il m'a rappelé Michael York dans *L'Âge de cristal*. L'éternité passe par un look de science-fiction clean. Je préfère le mot « clean » au mot « propre » car on entend « clinique ». Il a pris ma tension : élevée. Mon électrocardiogramme : banal.

Ensuite il m'a fait une échographie de l'abdomen avec une sonde gluante et gelée. Le seul truc qui ne va pas chez lui, c'est sa calvitie : on apercevait son crâne à travers ses cheveux. En revanche, son sourire était malicieux, probablement à cause de ses incisives écartées. Pour un médecin qui promettait la longévité, avoir les « dents du bonheur » est un gage de crédibilité. Sur un moniteur, il a regardé mon estomac, ma vésicule biliaire, mon pancréas et ma prostate – des nuages qui ondulaient en noir et blanc, comme dans un tableau de Soulages. Tous mes organes fonctionnaient correctement, m'a-t-il dit, sauf un qui émettait des gargouillis bizarres.

— Ton foie est un peu gras.

— J'en mange tout le temps.

— Si c'est celui d'un canard, c'est meilleur que si c'est le tien. Le foie, c'est ce qui filtre les déchets. Le tien est comme une passoire bouchée.

Il m'a montré la photo d'un vieux morceau de viande pourrie, vert et jaune. L'image rappelait les organes glauques qu'on met sur les paquets de cigarettes pour terroriser les disciples d'Humphrey Bogart (référence de vieux).

— Ton foie ressemble à ça. Déjà que t'es bizarre à l'extérieur, sache que c'est pire dedans.

Là, je commençai à bouder. Une des conséquences les plus exaspérantes de mon métier d'animateur impertinent, c'est que mes relations se croyaient autorisées à l'être avec moi.

— Ne fais pas ta tête de victime, a-t-il dit. Il faut cinq cents jours pour refaire un foie neuf. Tu vas juste être obligé de modifier tes habitudes alimentaires. Si tu fais ce que je te dis, tu retrouveras ton foie de jeune homme glabre, élevé à l'eau d'Évian en bouteilles de verre. Viens, on passe au test d'effort.

Il m'a fait monter sur un vélo elliptique. Au bout d'une minute de pédalage, mon cœur battait à 180 bpm. Il m'a supplié de descendre très vite.

— Au secours, il va nous faire un René Goscinny !

— Mais c'est normal, je ne cours jamais.

— Je t'interdis d'avoir ton infarctus sur mon lieu de travail.

Le décès de l'auteur d'*Astérix* sur un vélo en plein test d'effort est le cauchemar de tous les cardiologues depuis 1977. Il avait cinquante et un ans : mon âge.

— Bon, allez, on fait un check-up complet. Avec un scan du cœur. J'aimerais voir la tête de tes coronaires.

Je suis ressorti déprimé. Le lendemain matin, je me suis rendu à jeun dans un laboratoire d'analyses pour effectuer une prise de sang, des analyses d'urine et un prélèvement de mes selles. Au bout de quelques jours, j'ai fini par trouver une certaine sensualité

à la jeune laborantine à qui je tendais quotidienne-
ment un flacon contenant ma crotte avec mon nom
étiqueté dessus. Cette humiliation communément
appelée «vieillesse» avait quelque chose d'une perversion sexuelle particulièrement tordue – jamais je
n'aurais imaginé que j'en viendrais à trouver sexy de
chier tous les matins dans une boîte en plastique pour
savoir combien de temps il me restait à vivre. Nous
n'avons pas abordé le sujet mais j'ai senti une sorte
de connivence scatologique se développer entre elle
et moi.

Je suis aussi allé effectuer un coroscanner à l'institut Labrouste. On m'a injecté un produit iodé pour
visualiser ma cage thoracique en 3D. Allongé en apnée
dans un cercle de rayons radioactifs, j'ai avisé un panneau qui m'ordonnait de ne pas regarder le laser. Iné-
vitablement, je cherchai alors des yeux le sabre de
Dark Vador. Un quart d'heure après, je contemplais
mon cœur, mon aorte et mes artères sur des écrans
à cristaux liquides. On aurait dit un jarret de veau.
Au technicien qui observait l'imagerie sur écran, j'ai
déclaré:

— Je me suis souvent demandé quelle tête avait la
mort. Donc, en fait, c'est la vôtre.

— Déçu?

Ma vie était suspendue à ce navet en coupe tridi-
mensionnelle au look gore. Ce serait un bon concept
de talk-show: «Fais voir ton intérieur.» Un plateau
tourné à l'institut Labrouste, où l'on pourrait visionner les cœurs battants et les artères engorgées de tous
les participants, en direct. Avec des échographies
«live». La séquence émotion serait celle où les invités

apprendraient leur pronostic vital devant les caméras. Idée à noter pour l'année prochaine.

La semaine suivante, les surfaces vitrées de l'hôpital Pompidou ne me faisaient plus penser à un vaisseau intergalactique mais à la pyramide du Louvre. J'ai commencé à comprendre où je me trouvais : dans un tombeau translucide analogue au sarcophage de François Mitterrand. Mon humeur avait évolué ; je bombais un peu moins le torse. Le check-up calme l'amour-propre. Le docteur Saldmann m'a convoqué pour m'exposer mon bilan de santé. Il a regardé mes analyses avec la lenteur sadique d'un juge attendant le silence de la cour avant de prononcer son verdict. Ceci est mon cœur livré pour vous.

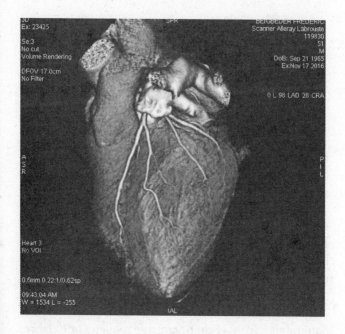

Connaissez-vous beaucoup de romanciers qui vous dévoilent l'intérieur de leur corps ? Céline disait qu'un écrivain devait «mettre sa peau sur la table». Avec mon scanner coronaire, il est clair qu'une étape de l'histoire littéraire a été franchie. (Note de l'auteur prêt à tout.)

— Tu as une stéatose hépatique et tu es hyper-
tendu. C'est limite normal avec tout ce que tu te mets
dans le cornet. Mais ton cœur est intact et tes artères
propres. C'est dingue ! Tu as zéro risque d'infarctus.
Tu es passé à Lourdes ou quoi ? Ton score calcique
coronaire à zéro, c'est comme si tu venais de naître !
L'estomac, les poumons, les couilles, tout fonctionne
normalement. Même ta prostate est petite. Je vais me
mettre à la drogue dure si ça préserve à ce point.

J'ai remercié le ciel de me donner une seconde
chance. Saldmann semblait aussi soulagé que moi. Il
s'attendait à trouver un organisme totalement délabré.

— Ce qui m'étonne, ai-je dit après un long soupir
de condamné à mort gracié, c'est que mon foie ait mis
cinquante ans à se rebeller. Peux-tu prolonger cette
situation indéfiniment ?

— Pardon ?

— Je voudrais repousser ma mort si loin qu'elle
en décédera à ma place. Mon but est de vivre quatre
cents ans avec mon foie graisseux.

— Visons plutôt quatre mois, soyons réalistes.

(Rire pas drôle.) Mon cher, l'espérance de vie moyenne d'un Français est de 78 ans ; 84 pour les femmes car elles sont plus intelligentes. Normalement, il devrait donc te rester trente belles années à vivre si tu suis mon régime allégé. Ton sucre est à 1,33. Ton acide urique à 91 et tes triglycérides à 2,36. Trop de graisse, d'alcool et de sucre. Il faut que tu jouisses autrement qu'en mangeant et buvant : voyage, baise qui tu veux avec préservatif, lis, va au cinéma et au théâtre, enfin bref, fais des trucs de vieux ! Et surtout, quarante minutes d'exercice physique quotidien pour diminuer le risque de cancer de 40 % en libérant 1 004 molécules protectrices. Mais ne te tue pas au travail. Les audiences de ton émission sont toujours bonnes ?

— Entre trois et cinq millions par semaine.

— Ce n'est pas rien.

— On fait plus quand je gerbe en plateau.

— Es-tu obligé d'avaler les mêmes pilules que tes invités ? Tous ces abus chimiques ne sont pas recommandés par la faculté de médecine.

— Ne t'inquiète pas pour les pilules, je ne les consomme que pour le direct. Ensuite je passe le reste de la semaine à préparer l'émission suivante en buvant de l'eau minérale. Je ne veux pas me tuer, comprends-tu docteur ? Ni au travail, ni au sport. Je me suis mis à guetter la mort comme un cerf traqué dans une chasse à courre.

— T'es le seul hypocondriaque qui gobe des pilules sans savoir ce qu'il y a dedans.

— Écoute, je fais gaffe quand même. Je flique chaque symptôme, je traque les douleurs suspectes. Je me suis acheté un autotensiomètre pour prendre ma tension matin, midi et soir. Je me renseigne sur Internet. Je connais les meilleurs spécialistes de chaque partie du corps. Je suis plus habitué des pharmacies que des bars. L'apothicaire de la rue de Seine me salue tous les jours comme autrefois Alan, le barman de chez Castel ! L'argent que je dépensais auparavant en vodka-coke est désormais investi en vitamines-légumes verts.

Le médecin des stars me prenait pour un débile, ce qui se traduisait chez lui par un lent hochement de tête puis un regard dans le vague durant lequel il psalmodiait « ah làlàlàlàlàlà ». Et le César de la Meilleure Émotion Factice aurait pu être décerné... au docteur Frédéric Saldmann. Il a écouté mes poumons avec son stéthoscope gelé. Il a regardé mes oreilles et ma gorge avec sa lampe de poche.

— Bien. Je vais être direct avec toi. Je considère que toute mort avant 120 ans est prématurée, seulement il faut m'aider. À partir de 50 ans, la vie est un vrai champ de tir. On ne peut plus se comporter comme à 30 ans. Tu es en train de te suicider. Même si je congelais tes cellules souches dans une banque pour te les greffer plus tard, cela ne suffirait pas. Tu dois arrêter ton toxico-show. Si cela te pose un problème, je ne peux rien faire pour toi. À la rigueur, laisse tes invités se droguer, mais de ton côté, pourquoi ne pas jouer la comédie ? Tu n'as pas le choix. Gobe des Car-en-Sac blancs ou des M&M's marron. Grimace, ils n'y verront que du feu.

— J'ai déjà essayé : on sent tout de suite quelque chose d'anormal quand je suis dans mon état normal.

L'émission n'a plus de dramaturgie. Ceux qui ne travaillent pas à la télévision pensent toujours qu'animer est un métier facile. Mais tu as raison, je pourrais très bien terminer cette saison et prendre ensuite une année sabbatique.

— Profites-en pour consulter un psychanalyste afin de cerner ton angoisse macabre. Il était chouette, notre débat sur la mort. J'ai bien apprécié le moment où le fondateur de Google a avalé son oreillette.

— D'habitude, la mort ne fait pas d'audience. Là elle a cartonné.

— Peut-être parce qu'elle touche encore une majorité de gens. Aujourd'hui pour toi la situation est très simple : tu arrêtes la drogue ou tu arrêtes de vivre. À toi de choisir.

— J'ai envie de me défoncer pour ne pas entendre ce que tu dis.

— En ce cas, j'aimerais beaucoup acheter ta maison.

— Ah bon ?

— Oui : en viager.

La profession de « médecin connu » offre ce privilège : le droit à une dose d'humour morbide supérieure à la moyenne nationale. On était en juin : l'année audiovisuelle s'achevait et j'avais largement assez de fric sur mon compte pour arrêter de bosser pendant un an sans toucher à mon train de vie. Le seul souci était de savoir si la production me reprendrait en septembre de l'année suivante, ou si je devrais me produire moi-même. C'était une très bonne idée, cette année sabbatique. Je pourrais faire le tour du monde avec Romy ; Léonore et Lou nous rejoindraient aux destinations les plus hospitalières. J'allais sauver nos quatre vies. J'aurais pu embaucher le docteur Saldmann comme « talent manager ». Il me conseillait mieux que mon producteur, lequel ne pensait qu'à me faire trimer jusqu'au triple pontage final.

— Puis-je être franc avec toi ? a-t-il repris. Tu as besoin d'antioxydants. Mange des radis, des raisins secs, du quinoa, des clémentines et des pample-mousses. Arrête tes gélules, les alcools forts, le barbe-cue, le saucisson…

— Ah non ! Pas le saucisson ! Mais je t'assure que je mange des grenades. Qui n'explosent pas.

Pardon pour ce lamentable jeu de mots. Dans mon talk-show, au moins, un chauffeur de salle poussait le public à applaudir pour masquer mes flops. C'était confortable d'avoir un matelas de vivats en cas de bide. Mon médecin best-seller a poursuivi son énu-mération imperturbable, tel Michel Cymes. (Très bon client, Michel : dans mon émission, il a mangé le bou-quet de fleurs du plateau avant de donner un cours de dos crawlé dans une piscine gonflable en faisant l'éloge de la sodomie.)

— Bouffe de l'ail, des amandes, du citron, du melon…

— Avec du San Daniele ?

— Non : sans San. Freine sur la charcuterie, le beurre, la crème, les fromages, les frites. Ni foie gras, ni viande grillée.

— Aaargh !

— … Des carottes, des tomates, des brocolis,

96

du fenouil, des poireaux, des courgettes, des aubergines…

— OK, si c'est pour m'expliquer que pour ne jamais mourir il faut devenir vegan, je n'avais pas besoin de venir te voir, il me suffisait de lire *Santé Magazine*. J'essaie déjà ce régime sinistre, ne t'inquiète pas pour moi ! Par exemple, je mange uniquement les crocodiles verts de chez Haribo.

— Écoute, tu me poses une question, je te réponds. Ce n'est pas moi qui parle mais la science. Et tu n'as pas besoin de devenir vegan puisque tu as droit au poisson. Les sardines sont des animaux, non ? Mais de grâce, supprime les Haribo à la gélatine de porc concassé ! Et plus une goutte de Coca-Cola ! C'est du poison ! Bois de l'eau du robinet à la place. Beaucoup d'eau, ça coupe l'appétit et on n'a jamais rien trouvé de plus sain pour l'estomac.

— Merde… Aucun bonbec autorisé ?

— Les pistaches bio, le chocolat noir 100 % cacao et le miel, ça va. Et pas trop de sel non plus.

— Pfff… Aucun alcool ?

— Faudrait savoir. Tu veux être immortel ou clochard ? Bois des jus d'herbe !

— Plutôt crever !

— Ça tombe bien…

— Oui, bon, c'était une expression. T'inquiète, je mange souvent des açai bowls et je bois du matcha latte. Je suppose que je ne dois pas non plus m'exposer au soleil.

— Seulement le corps oint de crème solaire

protection 50. Mais un peu de vitamine D est excellent pour la longévité.

— En fait, pour vivre longtemps, il ne faut être ni basque, ni américain. Dommage pour moi : ce sont mes deux nationalités préférées.

— Ah ! Une dernière chose : t'es venu comment ?

— En scooter.

— Arrête ça tout de suite, malheureux ! C'est de loin ce que tu fais de plus dangereux. C'est du suicide le deux-roues. Une seconde d'inattention et ciao.

— C'est marrant, je viens de comprendre pourquoi un modèle de cyclomoteur s'appelait Ciao. OK, je vais rentrer à pied.

— Tu ne te rends pas compte : on est à l'aube de progrès fous, il faut juste tenir trois ou quatre décennies. J'étudie une petite souris d'Afrique de l'Est (Somalie, Éthiopie, Kenya) qui s'appelle le rat-taupe nu. Cet animal résiste à tout et vit trente ans ; une souris d'habitude vit deux à trois ans. C'est comme si nous vivions six cents ans en bonne santé. Elle n'a jamais de cancer, ni Alzheimer, ni maladie cardiovasculaire. Une peau et des artères qui ne s'usent pas, une sexualité et une fertilité intactes jusqu'au bout. On lui a implanté des tumeurs cancéreuses violentes, elle les rejette tout de suite. Même chose si on l'expose à des cancérigènes chimiques. Cette souris détient la clé de la vie éternelle. Essaie juste de tenir jusqu'à ce que les secours arrivent.

— (Après avoir googlé « rat-taupe nu » pour voir des photos de la créature) Quel animal horrible !

— L'immortalité n'est pas une élection de Miss.

— Mais cette bestiole est imbaisable !

— Tu as raison, j'oubliais le principal. Il faut du sexe pour vivre longtemps. On considère que douze rapports sexuels par mois augmentent de 10 % la longévité. Et si tu arrives à vingt et un rapports mensuels, tu diminues d'un tiers le risque de cancer de la prostate. Grosso modo, tu dois remplacer la bouffe et la teuf par la baise : ce n'est pas un si mauvais swap.

— La petite mort repousse la grande !

— Allez, au revoir, je te souhaite une excellente résurrection. Cela t'ennuierait qu'on fasse un selfie ensemble pour épater ma femme ? Elle est complètement fan de toi. Elle a adoré l'émission avec Depardieu et Poelvoorde, quand ils ont décidé de gober toutes les gélules en même temps.

— Oui, elle a bien marché celle-là, c'était une bonne idée de garder l'antenne jusqu'à leur lavage d'estomac, à quatre heures du matin, en direct de l'Hôtel-Dieu. Combien je te dois pour mon check-up ?

— Envoie-moi un morceau de ton foie gras à Noël ! (Rire sardonique.)

Dans la rue, l'été était obscène. Le deuil de soi-même fournit une excuse pour se liquéfier en public. Je critique la mort mais je tolère la décomposition. Je pleurais souvent pour un rien ; c'étaient peut-être les particules fines en flottaison dans l'atmosphère parisienne. Comme dit Salinger : « Les poètes prennent la météo trop personnellement. » J'ai reniflé en croisant une mère de famille blonde poussant un landau. En regardant les platanes verts sur fond gris. En levant les yeux vers le ciel couleur de stéatose hépatique. Mon médecin fameux venait d'inviter la maladie dans ma vie. Je m'apitoyais sur mon propre déclin. Surtout, n'ayez pas pitié de moi. Je suis capable de chialer sur commande. Parfois, quand je sens qu'un invité est émouvant, je verse une larme pour faire le buzz.

Je suis jaloux de cette horloge sur la place Vauban qui ne tombe jamais en panne. En traversant les avenues mornes du 7e arrondissement, j'ai acheté un bouquet de violettes. Il y avait de l'orage dans l'air. Les magasins fermaient, une cloche sonna. Je ne m'étais même pas aperçu que la nuit tombait. Je suis entré dans une église illuminée, la paroisse Saint-Pierre-du-Gros-Caillou, qui ressemble à l'Acropole, en moins disloquée. L'encens m'est monté à la tête, j'ai eu peur de m'évanouir. J'ai déposé mes violettes sur un autel mauve ; elles juraient, ce qui est embarrassant dans un lieu saint. J'ai allumé un cierge pour mon père et ma mère. Je ne voulais pas me retrouver en première ligne. La flamme de la bougie a projeté une ombre qui dansait sur la pierre. Elle m'a redonné du courage. Les églises sauvent tous les jours des athées par centaines. Je suis ressorti dans la nuit parisienne. J'ai téléphoné à mon producteur pour lui annoncer que j'arrêtais l'émission : l'avantage des boîtes vocales, c'est qu'elles n'essaient pas (encore) de vous convaincre de rester. J'étais soulagé comme un homme qui a failli recevoir un 747 sur la tête. On devrait démissionner plus souvent.

Les avions clignotaient dans le ciel noir au-dessus des arbres. J'ai eu l'impression qu'ils m'envoyaient un signal en morse mais j'ignorais lequel. « Fous le camp », peut-être ?

Ce soir-là, j'ai emmené Léonore, Romy et Lou

manger des frites à L'Entrecôte, un restaurant diété-tiquement incorrect. Les enfants étaient contentes, et malgré mon foie malade, je nous trouvais tellement plus vivants que la moyenne.

3

MA MORT DÉPROGRAMMÉE

« Vieillir n'est pas fait pour
les poules mouillées. »

Bette DAVIS

Un souvenir me perturbe régulièrement. Après l'enterrement de Gérard Lauzier à l'église Saint-Germain-des-Prés en 2008, j'ai pris une bière au Flore avec Tonino Benacquista, Georges Wolinski et Philippe Bertrand. Pour déconner, j'ai posé la question :

— Alors, c'est qui le prochain ?

On s'est regardés tous les trois et on a rigolé.

Deux ans plus tard, j'ai revu Benacquista et Wolinski à l'enterrement de Philippe Bertrand, emporté par un cancer à soixante et un ans. Je venais de prononcer un discours sur lui, au cimetière du Montparnasse. J'ai essayé de plaisanter :

— Et cette fois, c'est qui le prochain ?

On a ri moins fort.

Le 7 janvier 2015, Georges Wolinski a été exécuté pendant la conférence de rédaction de *Charlie Hebdo*. Il avait quatre-vingts ans. À son enterrement, de nouveau au cimetière du Montparnasse, Tonino et moi n'avons pas ricané du tout.

On s'est regardés comme Charles Bronson et Henry Fonda dans *Il était une fois dans l'Ouest*.

De plus en plus souvent, je croise dans la rue des gens que je connais (Régine Deforges, Guillaume Dustan, Hugues de Giorgis, Luigi d'Urso, André Djento, Jocelyn Quivrin, Jacno) mais lorsque je m'approche pour les embrasser, je me souviens qu'ils ne sont plus là et m'aperçois avec effroi que je suis sur le point de saluer des inconnus qui leur ressemblent. Il est assez déstabilisant de passer son temps à se retenir de dire bonjour à des morts.

— Salut Régine !

— Pardon ?

— Mais… vous n'êtes pas Régine Deforges ?

— Non.

— Ah mon Dieu, ça me revient, elle est morte il y a trois ans !

— Vous voyez bien que ce n'est pas moi.

— On vous prend souvent pour elle ?

— Cela arrive, à cause de mes cheveux roux. On me confond aussi avec Sonia Rykiel…

— … qui est morte aussi ! Cela ne vous dérange pas d'être le sosie de toutes ces rousses décédées ?

— Cela ne vous dérange pas d'être moins drôle en vrai qu'à la télé ?

Il faut se dépêcher de parler aux vivants. Un ver de terre dure dix-huit jours, une souris trois ans, un Français soixante-dix-huit. Si je me nourris exclusivement de légumes et d'eau, je gagnerai dix ans de vie, mais je m'ennuierai tellement qu'ils en paraîtront cent. Tel est peut-être le secret de l'éternité : un océan d'ennui pour ralentir l'existence. Les statistiques sont formelles : en 2010, on dénombrait 15 000 centenaires en France. On en prévoit 200 000 en 2060. Je préfère le surhomme transhumaniste au retraité végétalien : lui, au moins, peut s'empiffrer de charcuterie et de pinard, à condition de remplacer ses organes régulièrement. Tout ce que je demande, c'est d'être réparé comme une machine. Je rêve qu'à l'avenir les médecins soient surnommés « garagistes humains ».

J'ai pris rendez-vous en urgence avec Mme Enkidu, ma psychanalyste. Je ne l'avais pas revue depuis dix ans ; elle m'avait aidé à maîtriser mon addiction à la cocaïne et à surmonter mes deux premiers divorces. Son cabinet près de l'Étoile était toujours aussi beige, avec la même boîte de Kleenex en embuscade sur son bureau. Chez un psy, le mouchoir en papier est l'équivalent contemporain de l'épée de Damoclès. Chez le docteur Enkidu, pas de divan : on se parle les yeux dans les yeux. Puis les yeux dans les mouchoirs. Sa bibliothèque est remplie d'essais psychanalytiques aux titres compliqués : traités de la souffrance, autopsies du chagrin, remèdes à la mélancolie. Des recueils d'articles scientifiques rassemblés dans des classeurs pour lutter contre la dépression et le suicide.

— Finalement, la psychanalyse n'est que du Proust mal écrit.

Ma psychiatre a opiné poliment.

— C'est bizarre, ai-je ajouté, je suis payé pour parler à des millions de téléspectateurs mais vous êtes la seule personne qui m'écoute.

— C'est parce que vous me payez.

— Alors voilà ce qui m'amène : j'ai décidé de ne plus mourir.

Son regard apitoyé n'avait pas non plus changé. Quelques rides supplémentaires au coin des paupières, les cernes plus foncés, les cheveux peut-être teints. Écouter le malheur humain toute la journée n'est pas le secret de la jouvence éternelle. Elle avait l'air effrayée de me revoir. Probablement avais-je moi aussi pris un coup de vieux. Elle ne regardait jamais la télévision, sinon elle n'aurait pas été aussi surprise par ma barbe poivre et sel.

— Ne pas mourir est une sage décision, ironisat-elle derrière ses demi-lunes. Vous avez bien changé, dites-moi. La dernière fois qu'on s'est vus, vous poursuiviez plutôt le but inverse.

— Je n'ai jamais été plus sérieux. Je ne mourrai pas, point à la ligne.

— Cette bonne résolution vous est venue quand ?

— Pfff… Ma fille m'a demandé si j'allais mourir. Je n'ai pas eu le courage de lui répondre par l'affirmative. Alors j'ai dit qu'à partir de maintenant plus personne ne mourrait dans notre famille. Suis-je un mauvais père ?

— Un bon père est celui qui se demande s'il est un mauvais père.

— C'est bien trouvé, ça. C'est de Freud ?

— Non : de vous. Vous avez prononcé cette phrase en 2007, sans doute pour vous rassurer quand vous trompiez sa mère. À l'époque de notre première psychothérapie, vous parliez déjà de votre peur de vieillir. Syndrome de Peter Pan classique chez le quadragénaire occidental. La peur de l'âge est une angoisse de la mort travestie en hédonisme attardé.

— J'ignorais que l'hédonisme était une maladie. Bientôt notre société enfermera les épicuriens dans des asiles de fous. Le plaisir sous toutes ses formes est déjà puni par la loi, tout en étant encouragé par la publicité. Cette injonction paradoxale fabrique des millions de schizophrènes : vous pouvez remercier le système capitaliste. Grâce à lui, vous n'êtes pas près de mettre la clé sous la porte.

— Vous n'allez tout de même pas me ressortir votre couplet de bobo libertaire ? Nous ne sommes pas à la télé ici. Vous pouvez vérifier : je n'ai caché aucune caméra.

Soudain je me suis souvenu pourquoi je ne venais plus voir cette sinistre thérapeute : je détestais sa lucidité. Trop d'intelligence chez une femme m'a toujours effrayé, depuis ma mère. Mais c'était ma faute : je venais de me faire scanner le cœur et j'allais à présent me faire passer le cerveau aux rayons X. Je me sentais un libertaire démodé, dans un monde où l'hédonisme passait pour une perversion de vieux con. Quand je pense que, dans ma jeunesse, il fallait faire semblant d'être échangiste pour avoir l'air dans le coup ! On s'inventait des exploits aux Chandelles pour être cool. Aujourd'hui DSK a ringardisé les partouzes, et tout libertaire passe pour un dégueulasse cacochyme en kimono, façon Hugh Hefner (encore un mort). Nous vivons une période de régression sexuelle phénoménale. On peut même parler d'une antirévolution sexuelle.

— Docteur, les cimetières sont pleins de cadavres qui pourrissent dans des boîtes et d'autres personnes debout, vêtues de noir, qui essaient de s'intéresser à la tristesse des orphelins en prenant des mines compassées. Tous ces salauds qui froncent les sourcils pour avoir l'air concerné, j'ai envie de les frapper. Je n'aime ni l'empathie, ni la sympathie.

— La mort rend méchant, dit-elle sans sourire, histoire de justifier ses émoluments (120 € la demi-heure). Les animaux la sentant approcher deviennent parfois dangereux.

— Il y a forcément un moyen de régler ce problème.

— Quel problème ?

— La mort. L'homme trouve toujours une solution. Il a inventé l'électricité, le moteur à explosion, la radio, la télé, les fusées, l'aspirateur qui ne perd pas l'aspiration… À propos, j'ai rêvé que mon robot aspirait les cendres de mes parents, renversées sur la moquette. Qu'en aurait pensé Lacan ?

— Cas typique de délire morbide, agrémenté de pulsions macabres narcisso-mégalo-paranoïdes, aggravées par la célébrité et la polytoxicomanie. Ce qui m'intéresse c'est que vous vouliez remarier vos parents en mélangeant leurs cendres. C'était agréable de les voir réunis dans votre rêve ?

— Écoutez, la science est sur le point de supprimer

la mort, et je n'ai pas envie que cette découverte ait lieu après la leur. Avouez qu'il serait vraiment ballot de mourir la veille de la découverte de l'immortalité. Nous devons tenir jusqu'en 2050 alors que, selon l'espérance de vie masculine française, ma mort est programmée pour 2043. Il y a un écart de sept ans à boucler, je ne demande pas la lune ! Le monde entier désire la même chose que moi. Dans mon rêve, passer l'aspirateur à la mort, c'était une sensation très agréable. C'était la faire disparaître. Je me suis réveillé en pleine forme. Vous voulez mourir, vous ?

— J'accepte la destinée humaine. Cette perspective ne m'enchante guère, mais j'ai appris à ne pas me révolter contre ce que je ne peux pas changer.

— Vous allez bientôt pasticher Montaigne : « Psychanalyser, c'est apprendre à mourir » ? Je me fous de la philo comme de l'analyse freudienne ! Je ne veux pas apprendre à mourir, je veux régler cette question. Mon temps est compté : j'ai vingt-six ans pour repousser l'échéance ultime. Et je veux que ma famille soit elle aussi immortelle. Ce devrait être le but de tout être humain normalement constitué.

— Non, la normalité c'est la mortalité. Le compte à rebours fut déclenché le jour de votre naissance ! Acceptez-le ! Vous pouvez tout contrôler, sauf ça.

— Vous ne comprenez pas ce que je vous dis. Vous me prenez pour Don Quichotte, alors que je suis James Bond. Ma mort est une bombe qui doit exploser, et je vais la désamorcer. Sur une musique de John Barry s'il le faut. Tant pis si vous me prenez pour un control freak.

Mme Enkidu me contemplait avec embarras,

comme on regarde un mendiant qui tend la paume, quand on n'a pas de pièces de monnaie dans sa poche. Derrière la fenêtre, des voitures klaxonnaient, accéléraient, polluaient l'avenue. Dans ces bagnoles à l'arrêt, des quinquagénaires flamboyants respiraient des particules fines en écoutant France Info répéter les mêmes alertes au pic de pollution toutes les cinq minutes. On pouvait les entendre penser : « Merde, je vais encore mettre une heure à traverser la porte Maillot alors que je vais crever dans deux décennies. Cette heure immobile à inhaler du poison, sur mon lit de mort, je vais regretter de l'avoir gaspillée. » Le vrai mystère de notre société : comment des individus éphémères font-ils pour accepter les bouchons sur le boulevard périphérique ?

— C'est pourtant simple, ai-je continué : j'appartiens à la dernière génération mortelle et je veux faire partie de la première génération immortelle. Ma mort n'est qu'un problème de timing.

Ma psychanalyste a souri comme si je venais de passer une sorte de test pour psychopathes. Elle a probablement hésité à me faire interner dans l'hôpital psychiatrique le plus proche. Elle avait l'habitude d'entendre un paquet de conneries mais là, je dépassais les bornes ; ça m'agaçait qu'elle prenne des notes avec un rictus condescendant pour son prochain essai chez Odile Jacob. Finalement elle a griffonné une adresse avec son Montblanc, arraché une feuille de son bloc et m'a tendu l'ordonnance.

— Écoutez, je connais peut-être quelqu'un qui peut vous aider, mais il est à Jérusalem. C'est un chercheur qui travaille sur le renouvellement des cellules.

Vous verrez bien. Au pire, une cure de vitamines ne vous fera pas de mal. Puis-je vous demander un selfie pour ma petite-nièce ? Cette idiote est complètement fan de votre émission. Elle a adoré le moment où votre mâchoire bloquée vous empêchait d'articuler.

Dans le ciel flottait un nuage en forme de pays inconnu. « Renouvellement des cellules » : en sortant de son immeuble gris, j'ai compris que cette vieille dingo m'avait peut-être guidé sur la bonne route. Elle qui avait accepté sa mort prochaine m'indiquait un moyen de différer la mienne. J'ai encore sangloté devant un magasin de valises de luxe dont je tairai le nom, pour ne pas faire de publicité à Goyard. Un passant m'a tapé dans le dos : « Hey tu m'as bien fait marrer quand t'as dégueulé à la télé ! On peut faire une photo ? » J'ai séché mes larmes pour poser en faisant le « V » de la victoire. Le public attend toujours que je sois destroy et rigolo. Il est déçu quand il s'aperçoit que je suis timide et chiant. Mes fans veulent se murger avec moi pour pouvoir raconter à leurs potes qu'on était bourrés ensemble. À un moment de ma carrière, je faisais tout pour être à la hauteur de cette réputation. Je distribuais de la drogue aux inconnus pour qu'ils le répètent sur Twitter. Je posais systématiquement torse nu avec une bouteille dans la main et un sachet de poudre blanche dans l'autre. Mais à compter de ce soir-là, j'ai cessé de sculpter ma statue de présentateur trash, je voulais juste qu'on me foute la paix pendant les trois siècles qu'il me restait à vivre.

J'ai appelé un Uber qui a mis un quart d'heure à trouver où j'étais. Savez-vous à quoi j'ai su que j'étais vieux ? Quand j'ai demandé au chauffeur d'allumer la radio, le jeune homme m'a regardé longuement, avant de mettre Radio Nostalgie. Gros coup de cafard : j'avais une tête à aimer Gérard Lenorman. Ensuite il a dicté oralement mon adresse à son GPS, qui l'a emmené dans la mauvaise direction : au lieu d'aller rue de Seine, il me déposa rue de Sèvres. L'homme s'en remettait à la machine, et la machine était sourde. Ou bien les robots prenaient-ils un malin plaisir à nous humilier ? Je trouvais surprenant qu'une compagnie aussi puissante qu'Uber assume aussi ouvertement un nom nazi.

La confiance que nous avons dans les logiciels sera fréquemment déçue. Certes, il y aura des tâtonnements, il y aura des ratés. Cependant il faut y croire : le progrès de la science conduira un jour l'humanité vers la délivrance ultime.

Dans *Manhattan* (1979), Woody Allen énumère une dizaine de raisons de vivre :

— Groucho Marx,

— Willie Mays (célèbre joueur de base-ball),

— le deuxième mouvement de la symphonie Jupiter de Mozart,

— « Potato Head Blues » de Louis Armstrong,

— les films suédois,

— *L'Éducation sentimentale* de Flaubert,

— Marlon Brando,

— Frank Sinatra,

— les pommes et les poires de Cézanne,

— le crabe chez Sam Wo's,

— le visage de Tracy (interprétée par Mariel Hemingway).

À la page suivante, nous nous proposons de compléter cette liste des choses qui rendent la mort insupportable.

COMPLÉMENT À LA LISTE DES RAISONS
DE VIVRE DE WOODY ALLEN

– Tous les films de Woody Allen, sauf *Le Sortilège du scorpion de jade.*

– Les seins d'Edita Vilkeviciute.

– Le crépuscule de septembre sur la baie de San Sebastian, vu du mont Igueldo.

– *Les Contrerimes* de Paul-Jean Toulet, en particulier la numéro LXII :

Me rendras-tu, rivage basque,
Avec l'heur envolé
Et tes danses dans l'air salé,
Deux yeux, clairs sous le masque.

– Le passing-shot de revers croisé à une main de Roger Federer, en particulier lors du cinquième set de la finale de l'open d'Australie à Melbourne le 29 janvier 2017.

– L'arrière-salle du café La Palette, rue de Seine (classée monument historique).

– «Perfect Day» de Lou Reed.

– Les seins (piercés) de Lara Stone. Sa phrase le jour de son mariage au Claridge's de Londres : «Je connais toutes les chambres de cet hôtel.»

– Il me reste trois bouteilles de Château de Sales 1999 à la cave.

– Les chansons de Cat Stevens.

– Les «Frosties» de Kellogg's.

– Tout film avec John Goodman.

– Les Salvators de la maison Fouquet.

– Les éclairs dans le ciel pendant un orage d'été.

– Les lits au 1er étage de la librairie Shakespeare and Company à Paris.

– «Only You» de Yazoo.

– Les premiers rayons du soleil qui se faufilent à travers les rideaux tirés.

– N'oublions pas qu'un jour, un Italien a inventé le tiramisu.

– Faire l'amour puis se rendormir en entendant la personne qu'on aime prendre sa douche.

– Les seins de Kate Upton quand elle danse le «Cat Daddy» filmée par Terry Richardson (2012).

– Cette phrase, dans *Full Metal Jacket* : «*The dead know only one thing : it is better to be alive.*»

– Le parc de la villa Navarre à Pau en automne, quand les Pyrénées deviennent mauves, puis bleuissent, avec une brise tiède et un glaçon qui craque dans un verre de Lagavulin.

– *Le Pirate de haute mer* de F. Scott Fitzgerald.

– «La rua Madureira» de Nino Ferrer.

– Le ronronnement d'un chat près d'un feu de cheminée qui crépite.

– Le ronronnement d'un feu de cheminée près d'un chat qui crépite (plus rare).

– Entendre la pluie tambouriner sur le toit quand on est dans sa maison.

– Quand, après l'amour, on se remet à bander.

– La version de «People Have the Power» par les Eagles of Death Metal sur scène à Paris avec U2, trois semaines après la boucherie du Bataclan.

– Les monologues de présentation de Ricky Gervais aux Golden Globes.

– L'Instagram de Marisa Papen.

– Les monologues de Jean-Pierre Léaud dans *La Maman et la Putain*.

– Retrouver un vieux poche de Colette poussiéreux, avec la tranche jaunie, et le lire jusqu'à la fin, debout dans le salon.

– Les fêtes qui se terminent dans ma cuisine à cinq heures du matin.

– Avoir le portable éteint.

– Les seins d'Ashley Benson dans *Spring Breakers*. La séquence où elle est en garde à vue en bikini. Celle de la piscine où elle embrasse Vanessa Hudgens. Bien sûr que la vie vaut la peine d'être vécue.

– Le journal littéraire de Paul Léautaud (l'édition en trois volumes au Mercure de France). À feuilleter quand on doute de la littérature.

– L'ancien bagne français de Poulo Condor, sur

l'île de Con Dao au Vietnam, devenu un spa cinq étoiles de la chaîne Six Senses.

– La nuit quand il fait chaud sous un ciel étoilé, s'allonger dans un hamac et ne plus penser à rien.

– Le musée Gustave Moreau, rue de La Rochefoucauld, surtout quand on est le seul visiteur.

– L'éjaculation dans une bouche contenant du Perrier glacé.

– Les hortensias bleus et roses d'Arcangues, en attendant une omelette aux cèpes baveuse, avec des amis saouls.

– La voix d'Anna Mouglalis.

– Les endroits que je n'ai pas encore visités : la Patagonie, l'Amazonie, le lac Victoria, Honolulu, les grandes pyramides, le Popocatepetl, le Kilimandjaro. Pas question non plus de mourir sans avoir descendu les fleuves Émeraude et Amour.

– Le Galak de Nestlé.

– *The Big Lebowski* bien sûr, surtout la séquence où John Turturro dit : «Nobody fucks with the Jesus.»

– Le gratin de tagliolini au jambon chez Harry Cipriani sur la 5e Avenue.

– «Écouter la chanson d'une petite fille qui s'éloigne après vous avoir demandé son chemin» (Li Po).

– Le sketch du «Ministère des Marches Ridicules» des Monty Python.

– Les seins de Léonore.

– Le rire de Romy.

– Les cheveux de Lou : du duvet de poussin.

J'ai eu un enfant au moment où je me fichais de l'avenir. Non, correction.

J'ai eu deux filles. Maintenant j'attends un avenir.

L'annonce sur le site de Morandini de ma démission et de mon remplacement par Augustin Trapenard déclencha une vague de réactions sur les réseaux sociaux : un tiers de regrets polis, un tiers de « bon débarras » et un tiers de léchage de cul de mon remplaçant. *Le Parisien* titra : « Overdose de show chimique ». *Voici* : « Le has been fera-t-il son comeback ? » *Le Figaro* : « Un bobo peut en cacher un autre ». J'ai été obligé d'accorder une interview sur jeanmarcmorandini.com pour calmer le bad buzz.

Jean-Marc Morandini : Êtes-vous audiovisuellement fini ? (Rires)

Moi : Je n'en sais rien et je m'en fous. Contrairement à d'autres, j'ai une vie en dehors de la télé. Je pense d'ailleurs que la télé va mourir ; c'est pourquoi je vais tenir une chronique hebdomadaire à la radio, sur France Inter, dès le mois de septembre prochain.

JMM : C'est bien la première fois qu'un animateur arrête une heure de télé hebdo pour trois minutes de chronique radio ! Et vous voulez nous faire croire que c'est une promotion ? (Rires)

M: Oui, je le pense sincèrement. Parce que ma voix va pouvoir s'exprimer librement. Par ailleurs, cela fait des années que la radio est filmée. Les vidéos seront visibles sur le Net. La radio n'est plus de la radio.

JMM: Vous en aviez marre de tout gober? (Rires)

M: Si j'arrête, c'est uniquement pour m'occuper de mes filles. Devinette: quel est le truc qui se passe en dehors du prime time?

JMM: La lose? (Rires)

M: Non: la vie. La plupart des animateurs ne supportent pas l'idée de disparaître. Ils sont prêts à animer n'importe quel jeu débile plutôt que de s'absenter des écrans: Dechavanne, Sabatier, Nagui... Il fallait que je parte avant de tourner une roue devant des chômeurs de longue durée.

JMM: Vous faites votre midlife crisis? (Rires)

M: À cinquante ans, je ne suis pas au milieu de ma vie mais aux deux tiers. Et ce n'est pas une crise mais une leçon. La leçon des deux tiers.

JMM: Quelle est la leçon des deux tiers? (Rires)

M: Vous ne pourriez pas la comprendre.

JMM: Comment allez-vous faire le tour du monde en tenant une chronique radio? (Rires)

M: Attention, Jean-Marc, je vais être obligé d'employer deux termes techniques: duplex et PAD. Ce sont les initiales de «prêt à diffuser». Pardon d'utiliser un jargon de professionnel devant vous.

JMM: Mais vous comptez sincèrement reprendre la télé dans un an? Vous êtes au courant que ce n'est pas vous qui décidez mais les diffuseurs? (Rires)

M: «L'Émission chimique» fait sa plus grosse audience sur YouTube Live. Or tout le monde peut aller sur YouTube. On n'a plus besoin de demander la permission à Vincent Bolloré ou Martin Bouygues pour faire de la télé aujourd'hui, vous n'êtes pas au courant ? Augustin est un ami, je lui souhaite de belles expériences de chimie en direct. Je suis sûr qu'il va bien s'amuser et les téléspectateurs aussi. Quant à la production, je suis moi-même producteur, comme vous. J'étudie toutes les options.

JMM : Vous ne m'avez pas répondu. Cela ne vous vexe pas d'avoir été si vite remplacé ? (Rires)

M : On verra bien. Le public décidera. Mais c'est important la confiance. C'est comme quand un ado passe un casting porno avec vous. Les mineurs doivent avoir drôlement confiance quand vous leur demandez de se branler dans votre bureau. (Sourire narquois)

JMM : T'es vraiment un gros enculé. Coupez, on rend l'antenne. Pauvre merde ! (Il se lève pour me frapper, mes gardes du corps s'interposent.)

La vanne de fin était facile, je n'en suis pas fier. Elle fut retweetée 4 millions de fois : le clash de l'année.

De retour à la maison, j'ai prié Romy de poser son téléphone portable pour m'écouter cinq minutes. Elle a obtempéré en soupirant. Sa mauvaise éducation me plaît. Elle ressemble tellement à la mienne.

— Attends, me demanda-t-elle. Donne-moi un insecte qui pique en quatre lettres commençant par un « T ».

— Taon. T, A, O, N.

— T'es sûr que ça existe ? Ah oui, ça marche !

Depuis quelques semaines, Romy jouait à « 94 % », une application sur iPhone qui faisait deviner des mots. Je préférais de loin qu'elle enrichisse son vocabulaire avec ce jeu plutôt qu'elle écrase des bonbons colorés sur Candy Crush ou sème ses professeurs pour traîner dans les boutiques de fringues.

— Voilà, j'ai bien réfléchi : que dirais-tu de partir en voyage ensemble ?

— Mais c'est pas les vacances.

— Presque. Tu ne sécheras qu'un mois, ensuite c'est l'été. Maman est d'accord. Je te ferai un mot d'excuse pour le collège. Un vrai, cette fois : tu n'auras pas besoin d'imiter nos signatures.

— Gnagnagna, très drôle. Et mes amies ?

— Tu pourras leur écrire et les appeler sur Skype.

— Et Lou et Léonore ?

— Elles nous rejoindront dès que possible. On va voir la mer, la montagne, des pays lointains…

— Vas-y, donne-moi un arbre en sept lettres commençant par P ?

— Platane ? Pommier ?

— Il accepte les deux ! 16 points !

— On a besoin de prendre l'air, ça va nous faire du bien.

Depuis ma séparation d'avec sa mère, Romy intériorise ses émotions. C'est injuste de grandir aussi tôt. Je n'arrive pas à aborder le sujet, trop plombant. De temps à autre, je me force :

— Ça va ? Tu es sûre ?

Elle ne dit rien. Je lui apporte alors un pain au chocolat ou un paquet de chewing-gums ou un abonnement à Netflix. Elle est fan de la série *How to Get Away with Murder*.

— Chérie, je préférais quand tu regardais *Hannah Montana*.

— Eh oui, les temps changent : maintenant Miley Cyrus est une grosse pouffiasse.

Je me souviens d'un week-end en Corse où Romy m'a demandé de lui étaler de la crème solaire dans le dos et tout d'un coup je me suis aperçu qu'un jour elle serait une femme ; c'était la première fois que j'étais gêné de toucher sa peau : ma fille n'était plus une fillette. Je massais pour la dernière fois ce dos à qui j'avais donné la vie, sous le regard désapprobateur des clientes du domaine de Murtoli que j'entendais murmurer dans mon dos : « Ce vieux porc va-t-il arrêter de tripoter sa fille ? » Pas question de fuir cette enfant ; c'était la seule personne qui me connaissait vraiment. Elle savait quel abruti j'étais, et me pardonnait. Romy ne m'en voulait pas d'avoir remplacé sa maman par une Suissesse. Les enfants servent à cela : corriger le tir. Parfois je reconnaissais le visage de sa mère quand elle riait, parfois celui de sa grand-mère. Je me retenais de la serrer dans mes bras trop souvent, pour ne pas l'étouffer. J'avais peut-être tort.

— T'es pas contente ?

— Si. C'est mortel.

— Ah non. C'est pas mortel. C'est même exactement le contraire.

Là, dans un de mes films, il y aurait un gros plan de trois secondes de mon expression énigmatique, censé souligner le double sens de cette repartie.

— Tu te souviens quand je t'ai dit qu'on n'allait pas mourir ?

— Bah oui.

— Tu m'as cru ?

— Bah… Tu dis tellement n'importe quoi.

— Ne critique pas mon gagne-pain. Eh bien figure-toi que, pour arrêter de mourir, on doit aller voir un certain nombre de docteurs qui vont s'occuper de nous. Tu comprends ? C'est ça le but de notre voyage. Mais il ne faut en parler à personne.

— Pourquoi ?

— Parce qu'on sera les premiers. Il faut que ce soit notre secret, sinon tout le monde voudra faire pareil.

Or je te rappelle que tu détestes les files d'attente à Disneyland.

— Je ne peux même pas poster sur Insta ? #100%Jesus !

— Non.

— On va où en premier ?

— À Jérusalem.

— Lol ! On va dans la ville où Jésus a ressuscité ?

— Est.

— Quoi ?

— On dit « Jésus est ressuscité ». Non, ça n'a rien à voir avec lui, c'est juste un hasard. Enfin… je crois.

Nouveau plan serré sur mon visage lourd de sous-entendus, style Bruce Lee dans *La Fureur du dragon*. Éventuellement avec un regard caméra et un léger travelling avant (à souligner avec une nappe de synthés au montage).

— Il faut juste que tu me promettes une chose, Romy. Regarde-moi dans les yeux.

— Quoi ?

— Jure-moi que tu ne recommenceras pas à disparaître sans prévenir.

— Mais c'était pas ma faute.

— C'était la faute de qui ?

— Sétéacausdemaman…

— Comment ? J'entends pas ce que tu dis. Articule s'il te plaît.

— Je dis que c'était à cause de maman.

— Le fait de sécher la gym pour t'enfermer chez Brandy Melville n'a pas fait revenir ta mère. Faudra m'expliquer en quoi te cacher dans une cabine d'essayage ou derrière un stand de bonbecs allait aider qui que ce soit.

— séklémentinekimadikellavèunmec.

— Je t'en supplie, fais un effort pour parler plus clairement, c'est relou à la fin !

— Je disais que c'est Clémentine qui m'a dit qu'elle avait un mec.

— Clémentine, ta nounou ?

— C'est pour ça, je suis sortie. Je voulais respirer, courir au Luco. J'ai pas réfléchi. Et la dame qui vendait les bonbons a été très gentille. Quand je lui ai expliqué que mes parents divorçaient, elle m'a offert autant de Chamallows que je pouvais en tenir dans les mains. Après j'étais pas cachée, j'étais assise dans le kiosque à musique, tout le monde pouvait me voir. Je savais que tu me retrouverais très vite. Tu devrais être content, je suis pas partie en Syrie !

Je me suis tout d'un coup aperçu que j'allais effectuer le tour de la planète avec une peste surdouée, ingrate et effrontée, que j'aurais pu embaucher comme chroniqueuse dans un talk-show pour pédophiles fans de *Kick-Ass*. Putain de concept : une émission de chroniqueurs mineurs, à déposer d'urgence à la SACD ! J'ai tapé l'idée dans mon portable.

— Alors ? ai-je insisté. C'est normal que ta mère refasse sa vie.

— Alors quoi ?

— Alors tu promets de ne plus jamais te sauver ?

— J'ai une coquille et je commence par un O.

— Pardon ?

— Allez… J'ai une coquille et je commence par un O, trouve !

— Oursin ? Ormeau ?

— Non, c'est en quatre lettres. Allez papa, t'as plus que dix secondes !

— Œuf ?

— Ouah trop bien !

— Allez, promis ?

— OK… T'es meilleur que maman à ce jeu.

Je me suis levé du lit de ma fille pour crier dans le couloir :

— Clémentine ? Pouvez-vous aider Romy à préparer sa valise ? On part en voyage. Ah : et aussi, nous allons nous passer de vos services à présent. Comme dirait un animateur de télévision devenu président des États-Unis : vous êtes virée.

4

NOBODY FUCKS WITH THE JESUS
(Hôpital hébraïque de Jérusalem)

« N'est pas mort pour toujours qui dort dans l'Éternel
Et d'étranges éons rendent la mort mortelle. »

H. P. LOVECRAFT

De quoi mourons-nous principalement ? La revue médicale britannique *The Lancet* a publié en 2014 une étude financée par la fondation Bill Gates : 800 chercheurs internationaux ont passé en revue 240 causes de décès dans 188 pays du monde. Le quarté gagnant n'a rien de surprenant : c'est d'abord notre cœur qui lâche (maladies cardiaques : 8 millions de morts en 2013), ensuite notre cerveau qui grille (AVC : 6 millions de morts), le poumon qui s'asphyxie (3 millions), puis la maladie d'Alzheimer (1,6 million). Les accidents de la route n'arrivent qu'en 7e position (1,3 million de morts), ex aequo avec le sida.

J'ai écrit au professeur israélien spécialisé dans le rajeunissement des cellules, dont ma psy m'avait donné l'e-mail.

« Docteur Buganim, je vous contacte de la part d'une psychiatre que vous connaissez, le docteur Enkidu de Paris, j'espère que cette recommandation ne vous inquiétera pas. Accepteriez-vous de me recevoir pour reporter ma mort ? Mon budget est conséquent. À ce propos, j'aimerais bien savoir : combien coûte la vie éternelle ? Soyez bien aimable de me renvoyer un devis d'immortalité par retour de courrier. All the best. »

Quand vous adressez ce genre de mail à un grand ponte des biotechnologies, soit il vous dégage dans ses spams, soit il vous rappelle dans l'heure parce qu'il est toujours distrayant de dialoguer avec des aliénés. Le docteur Yossi Buganim m'a répondu dans le quart d'heure. Inquiet, il me demandait pourquoi Mrs Enkidu m'avait parlé de lui, et si je pouvais lui adresser un mail de confirmation en provenance de la responsable des relations extérieures de l'Université hébraïque de Jérusalem. J'avais tout d'un coup l'impression d'être dans un roman d'espionnage. Le monde de la recherche en biologie est aujourd'hui très paranoïaque : la quête d'éternité est une course lancée entre Chinois, Suisses, Américains et Israéliens (les Français sont à la remorque : pas assez de moyens et trop d'éthique). Dans cette guerre scientifique, il y a des fraudes, des effets d'annonce bidon (comme la découverte des nouveaux ciseaux génomiques NgAgo par Han Chunyu de l'université de Shijiazhuang), des coups de pub hasardeux, beaucoup d'intox et d'espionnage. La science génétique est un marathon pire que la course aux Oscars. Le docteur Yossi Buganim a reçu en 2016 un prix du magazine *Science* : il est un des chercheurs les plus avancés au monde dans le domaine de la création de cellules iPS. J'ai donc adressé un mail à la dircom de son laboratoire.

«Précisez bien au docteur que je ne suis pas malade. Je ne lui demande pas de me guérir, mais de me prolonger. Nous préparons un grand documentaire sur l'immortalité et je veux juste savoir si l'injection de cellules souches peut me permettre de freiner mon vieillissement. Ma fille m'accompagnera au rendez-vous : ses cellules sont nettement plus fraîches que les miennes. Merci de me proposer plusieurs dates. Nous sommes disponibles dans l'immédiat.»

Un peu de pédagogie sur les cellules souches. Ne vous inquiétez pas : je ne vais pas vous recopier la fiche Wikipédia, qui est incompréhensible. En 1953, un biologiste américain nommé Leroy Stevens, qui faisait des expériences sur l'influence néfaste de la cigarette sur des souris dans le Maine, en aperçoit une avec un gros scrotum. Il la tue, l'ouvre en deux : en fait elle est atteinte d'une tumeur des couilles. Bon, déjà, ce symptôme confirme que fumer est dangereux pour la santé. Mais Stevens constate que la tumeur de la souris est bizarre. À l'intérieur, elle contient des cheveux, des bouts d'os et des dents. What the fuck ?! Il fait fumer des cigarettes à d'autres souris, dissèque d'autres tumeurs, qui cette fois ressemblent à des embryons. C'est *Alien* en miniature. Il décide alors de transplanter cette tumeur sur des souris plus jeunes, pour voir ce qui se produira – et aussi parce qu'il n'existe pas encore de Déclaration Universelle des Droits de la Souris. Il constate alors que les tumeurs s'adaptent à leur nouvel environnement, et se développent comme des embryons ratés et répugnants, toujours chevelus et dentés. On savait rigoler à Bar Harbor (Maine) à l'époque. Leroy Stevens venait de découvrir les cellules souches. Pour simplifier, nous les humains, sommes des animaux multicellulaires : de grandes souris composées de 75 000 milliards de cellules. Dès l'embryon, nos cellules se répliquent indéfiniment et sont capables de se transformer en n'importe quoi : os, foie, cœur, yeux, peau, dents, une chevelure ondoyante, ta chatte. (Pardon pour ce subterfuge destiné à réveiller l'attention de mon lecteur.) Supposons que quelqu'un parvienne à contrôler ces cellules souches, il pourrait soit nous sauver la vie (par exemple, en reconstituant un organe défectueux), soit nous transformer en tumeurs géantes et visqueuses. Attention : c'est ici que le jeu se complique. Les cellules souches prolifèrent dans l'embryon mais on ne va pas tuer des milliers de fœtus pour voler leurs cellules : même si l'idée semble logique – nous verrons plus loin que la lutte contre le vieillissement a quelque chose de vampirique –, ce serait amoral et d'ailleurs c'est interdit en France par la loi bioéthique de 2004. La question du clonage humain s'est posée il y a dix ans pour cultiver les cellules souches mais en 2006, deux savants japonais ont trouvé une autre solution. Kazutoshi Takahashi et Shinya Yamanaka, de l'université de Kyoto, ont réussi à rajeunir des cellules d'adultes prélevées sur la peau, en les « reprogrammant » en iPS (Induced Pluripotent Stem Cells = cellules souches pluripotentes induites). Pour simplifier, les Japonais ont exercé une manipulation génétique en injectant quatre facteurs (Oct3/4, Sox2, Klf4 et c-Myc) permettant de transformer des cellules adultes en cellules de bébé «tout-terrain», capables de s'adapter n'importe où et de s'autorenouveler. Yamanaka a reçu le prix Nobel de médecine en 2012 pour cet exploit. Et voici pourquoi, depuis cinq ans, des milliers de biologistes torturent des millions de souris dans le monde entier en espérant trouver la pierre philosophale. Pigé ? Fin de la parenthèse pédagogique. Maintenant, j'attends mon Nobel de la vulgarisation.

La business class qui nous a emmenés à Tel-Aviv était remplie d'hommes d'affaires qui lisaient *Le Charme discret de l'intestin*. Beaucoup portaient une kippa. Dans la carlingue, j'étais entouré d'êtres mortels que la mort n'effrayait pas. Les juifs frôlent la mort à chaque coin de rue ; ils semblent accoutumés à sa fréquentation. On dirait qu'elle ne leur fait ni chaud, ni froid. Contrairement à Romy, je ne trouve pas que « mortel » soit synonyme de « génial ». De même, je déteste quand elle perd aux jeux vidéo, car elle emploie alors cette expression débile :

— Je suis au bout de ma vie.

Ce à quoi je réplique avec orgueil :

— Prem's.

Elle cachait ses bâillements pendant que je lui racontais les prodigieuses découvertes scientifiques qui nous amenaient dans cette ville ; Romy gardait la bouche fermée mais ses narines mobiles la trahissaient. Je n'avais jamais mis les pieds à Jérusalem ; je n'ai pas une prédilection pour les lieux saints. Par exemple, je n'ai jamais cédé à la mode de la marche à pied jusqu'à Compostelle. Romy regardait *Hunger Games* sur son ordinateur – encore une histoire de survie. Katniss Everdeen, l'héroïne interprétée par Jennifer Lawrence, passe tous les épisodes à sauver sa peau dans des jeux du cirque de plus en plus sadiens. Voir ce film à son âge m'aurait traumatisé mais Romy s'est endormie sans la moindre angoisse. La jeunesse s'est endurcie depuis que le chacun-pour-sa-gueule est devenu l'unique storytelling de nos enfants.

J'ai envoyé ce message à Léonore, restée à Paris avec notre bébé.

« Cher amour de ma vie,

J'ai beau jouer les blasés, il n'est pas anodin d'atterrir sur la Terre promise. On survole la Méditerranée et tout d'un coup, par le hublot, on voit une ligne droite, blanche et scintillante : c'est Israël, le pays qui est une utopie depuis trois millénaires. Nos voisins de fauteuil, un couple de vieux, se sont pris la main quand l'avion a touché le sol. Je les ai enviés car ta main me manquait. Je sais ce que tu penses : ma quête d'immortalité n'a pas de sens. Tu as sans doute raison, pourtant elle est déjà couronnée de succès, avant même mon rendez-vous avec le confrère de ton boss, puisque chaque kilomètre qui me sépare de Lou et toi mesure une éternité. Je te téléphone dès que je suis rempli de cellules souches. Croque un orteil de Lou de ma part : on le fera repousser. Je ne t'écris pas une trop longue lettre parce que je crains de chialer devant Romy. Je déteste faire autre chose que te serrer dans mes bras.

Ton amant légal aux sentiments inoxydables.

P.S. : Sans déconner, je crois que te serrer contre moi est ma définition du paradis. »

Je devrais peut-être m'acheter une kippa. J'en ai porté une au mariage de mon producteur et cette petite calotte m'allait bien, elle me conférait la profondeur qui me manque. Après tout, avec mon nez proéminent et mes yeux clairs, j'ai une bonne tronche d'ashkénaze. Bien que possesseur d'un prépuce très catholique, je figure sur une « liste des juifs qui tiennent les médias » publiée sur un site de la fachosphère. Je laisse croire parce que je suis flatté. Du moment qu'on cite mon nom quelque part !

L'atterrissage a réveillé Romy et on a demandé à un chauffeur de taxi de nous déposer directement au laboratoire génomique de biotechnologie cellulaire de l'Université hébraïque de Jérusalem. Depuis Tel-Aviv, c'est une heure de trajet hautement sécurisé entre des barbelés. Ne croyant ni en Dieu, ni en Yahvé, ni en Allah, j'ai essayé de regarder par la fenêtre comme si ce pays était n'importe quel endroit, mais ce n'était pas n'importe quel endroit. Beaucoup de policiers encadraient des hommes en noir, barbus, avec des chapeaux noirs et des nattes frisées. Israël c'est le Marais en plus grand, avec un ciel plus large. Même la lumière est métaphysique. Je me suis aperçu que je ne connaissais pas un mot d'hébreu à part « shalom ». Je ne savais même pas dire « oui » ou « merci » ! Heureusement que Romy avait la 4G : elle m'a appris que cela se disait « ken » et « toda ». Le chauffeur de taxi conduisait comme un dingue, pied au plancher, la clim' à fond : j'avais peur que Romy ne prenne froid.

— Attache ta ceinture et prends mon foulard.

La paternité oblige à employer souvent l'impératif. Sur les trottoirs déambulaient beaucoup de beautés brunes, grandes et minces aux cheveux soyeux, aux yeux verts, aux dents blanches et aux seins triomphants, mais je m'efforçais de ne pas me laisser distraire de ma mission scientifique. Comment appelle-t-on les fossettes creusées à l'arrière des genoux, cet endroit si doux et doré ? Si quelqu'un connaît la réponse, écrivez-moi SVP. Je ne pouvais tout de même pas demander à ma fille de googler la réponse.

— Tu vois ces Israéliennes, Romy ? Elles prennent l'air exaspéré pour être jolies. Ne fais jamais ça, tu m'entends ?

On sentait que la jeunesse israélienne voulait être californienne, vivre en tee-shirt et tongs : tous les juifs ressemblaient à Jésus en short. Comme à Paris, Rome, Londres ou New York, les juifs étaient difficiles à distinguer des hipsters. Qui avait copié sur l'autre ? Le hipster était-il un juif déguisé en branché ? Le juif était-il un hipster avec une dimension spirituelle ? Il me semblait qu'une guerre se préparait et que les Israéliens avaient choisi le même camp que les bobos. Romy commençait à avoir mal au ventre quand la voiture nous a déposés à la cafétéria de l'hôpital.

J'étais soulagé ; personne ne m'a reconnu quand nous sommes descendus du taxi ; mon visage prenait des vacances. Vivre c'est beau ; vivre dans l'anonymat choisi et non subi, c'est le bonheur. Surtout quand tu sais que toute personne qui t'appelle entend cette phrase snob, prononcée par un robot : « La boîte vocale de votre correspondant est pleine. » C'est l'équivalent poli de : « Je suis plus populaire que toi et je t'emmerde. » Après l'annonce publique de ma démission, je n'avais reçu aucun coup de fil des centaines de stars que j'avais invitées dans mes émissions. Leur ingratitude était prévisible mais il était néanmoins désagréable de la vérifier : après vingt ans de télévision, le nombre de célébrités qui étaient devenues mes amis était égal à zéro. Je n'avais été qu'un intermédiaire entre les artistes et leur public. Est-ce que j'ai une gueule de truchement ?

Ensuite on a bu un Coca et fait un concours de rots. Par la fenêtre ouverte, Romy avait pris un coup de soleil sur le bout du nez. À force de roter, elle s'est mise à vomir son french toast, heureusement nous étions arrivés.

Le Hadassah Ein Kerem Hospital Center de Jérusalem est une ville moderne en haut d'une montagne. Composé d'une trentaine d'immeubles, comprenant un centre commercial, une synagogue, des restaurants, une université, je crois que c'est le plus grand hôpital où j'aie jamais mis les pieds. Moins récent que le vaisseau spatial Pompidou de Paris, il inspire davantage le respect, comme toute zone étroitement surveillée. Cette ruche gigantesque est protégée par des soldats armés. Pour y pénétrer, il faut franchir des portiques de sécurité plus impressionnants qu'à l'aéroport. Sans rendez-vous avec un grand médecin, vous êtes raccompagné à la frontière.

Le docteur Yossi Buganim est le jeune prodige de la recherche médicale à la faculté de médecine de la Hebrew University of Jerusalem. Ce chercheur israélien au crâne rasé ressemble à un acteur de films d'action, genre Jason Statham. Il a de belles mains, longues et nerveuses ; des mains de pianiste qui jouent sur les quatre notes de l'ADN : A, T, G, C (adénine, thymine, guanine et cytosine). Le genre de mains idéales pour fumer des cigarettes, mais il ne fume pas compte tenu de son job. Son laboratoire est calmement high-tech : microscopes ultrasophistiqués, vidéos 3D de cellules multicolores, biologistes à lunettes qui manipulent des pipettes... Il nous a fait visiter son bureau et je me suis pris à rêver de posthumanité à l'emplacement exact où les monothéismes sont nés.

— Shalom Professeur, merci de nous recevoir. J'irai droit au but. La transplantation de cellules souches guérit-elle déjà des malades ?

— Oui : on rêve de soigner Alzheimer, Parkinson, le diabète, la leucémie. Nous avons créé ici des cellules iPS de placenta pour régénérer celui de certaines femmes enceintes.

— Et si vous m'injectiez des cellules souches à moi, pourrais-je vivre 500 ans ?

— Vous n'êtes pas malade : je risquerais de vous donner le cancer à l'endroit où je vous aurais piqué. C'est tout le problème : les cellules iPS sont instables, parfois aberrantes. Si elles ne tiennent pas sur une souris, imaginez sur vous : tumeur garantie.

— Quand est-ce qu'on vivra 300 ans ?

— Je croyais que vous visiez 500 ?

— Je suis OK pour revoir mes prétentions à la baisse : 250, voire 200.

Romy ayant la vie devant elle, ce rendez-vous l'ennuyait profondément. L'idée de vivre 200 ans, pour une fille de douze ans, est quelque chose d'aussi chiant que de mater un 52 minutes consacré aux châteaux de la Loire sur fond de *Marche royale* de Lully. Le docteur Buganim s'adressait surtout à elle. Il s'obligeait ainsi à user de termes compréhensibles par une fillette. On sentait le «pro» de la conférence: recueillir des financements de riches est un des aspects les plus chronophages du métier de techno-médecin, ils sont tenus de «vendre» leurs découvertes pour payer leurs éprouvettes. Il me recevait parce que j'avais fait croire à la RP de l'hôpital universitaire que j'étais un grand reporter de la télévision française. Il espérait grappiller des miettes de ma notoriété pour pouvoir sauver le reste de l'humanité. Ce que Ségolène Royal appelait une stratégie «gagnant-gagnant», juste avant de perdre-perdre.

— Mademoiselle Romy, reprit-il, laissez-moi vous expliquer comment vous êtes arrivée ici. D'abord un sperme fertilise un ovocyte qui donne un œuf nommé zygote. Cette cellule unique commence à se diviser en deux, puis quatre, puis huit, puis seize. Au moment où l'on arrive à 64 cellules, on obtient un embryon très jeune qu'on appelle blastocyste, qui ressemble à une boule contenant une cavité. Quand les scientifiques ont cultivé ces cellules, ils ont découvert qu'elles se régénéraient et restaient indéfiniment identiques.

Romy souriait comme une petite fille bien élevée par son papa. Je l'ai relancé tel mon maître, Yves Mourousi.

— Un grand confrère à vous m'a expliqué que certaines cellules étaient immortelles.

— Yez. Ze embryonic ztem zellz are immorrrtal.

J'ai oublié de préciser que nous conversions en

144

anglais. Romy avait du mal à suivre, et moi à prendre au sérieux le professeur Buganim avec son accent israélien qui rappelait celui d'Adam Sandler dans *You Don't Mess with the Zohan*, la meilleure comédie sur Israël. Dans cette situation, pour éviter le fou rire, il était essentiel de ne pas s'arrêter à ces détails d'élocution, et de se concentrer sur le fait qu'en vingt ans de télé, je n'avais jamais reçu un seul lauréat de la revue *Science*. Je vais traduire ses propos ci-dessous, ce sera plus simple.

— Les cellules souches embryonnaires sont immortelles, venait-il donc d'énoncer tranquillement.

— Ces cellules sont comme des caméléons ? a demandé Romy, épatante en co-intervieweuse.

— Oui. Elles peuvent devenir tout ce que tu veux. Enfin… presque tout. D'où leur nom : pluripotentes.

Sur un paperboard, il dessinait des cellules rondes qui ressemblaient aux Shadoks (encore une référence de vieux).

— Parlez-moi de ces Japonais qui ont découvert qu'on pouvait créer des cellules souches. C'est quoi le système iPS ?

— Attention : ce ne sont pas seulement des cellules souches mais des cellules souches embryonnaires. C'est-à-dire capables de générer toutes les cellules du corps humain. Nous, les adultes, nous avons tous des cellules souches. Dans tous nos organes. Et Romy aussi. Mais elles ne savent que régénérer un organe précis. Les Japonais se sont demandé s'il était possible de prendre des cellules adultes et de les reprogrammer en cellules souches d'embryon, c'est-à-dire pluripotentes. Cela permettait de régler deux problèmes : 1) la question éthique : ce n'est pas super de détruire des embryons humains, même si je ne suis pas sûr que le blastocyste, cette boule microscopique, puisse être considéré comme de la vie ; 2) le rejet immunitaire, car si je t'injecte des cellules embryonnaires de quelqu'un d'autre, il y a rejet. Alors que des cellules provenant de ton propre corps et prélevées par une biopsie de ton épiderme, il ne va pas les rejeter.

Il faisait le geste de gratter sous son bras. Romy commençait à s'inquiéter. Elle s'est tournée vers moi.

— Le docteur ne va pas nous faire une piqûre ?

— Non, on ne va rien te faire, chérie.

— Mais même si on te le faisait, ajouta le chercheur, on gratte la peau sous le bras, ça ne fait pas mal.

— Si je comprends bien, ai-je repris, les savants japonais ont pris des cellules d'un adulte et ils les ont… rajeunies ?

— Exactement. C'est ça. Je prélève des cellules de ta peau, j'y introduis quelques gènes, on attend deux à trois semaines, et soudain tu vois des cellules embryonnaires «imitées», d'où le «i» de «iPS» («Induced»).

— C'est dingue !

— Complètement dingue ! Personne ne pensait que c'était possible ! Et pas seulement ça, mais personne n'imaginait qu'il suffisait de quatre gènes pour une opération pareille ! Dans notre corps, nous avons 20 000 gènes. Et il n'en faut que quatre pour voyager dans le temps. La découverte doit aussi être attribuée au Britannique John Gurdon, qui fut le premier à

146

reprogrammer des cellules. Il a d'ailleurs partagé le prix Nobel de médecine avec Shinya Yamanaka en 2012. C'est lui qui a inventé la technique de clonage de la brebis Dolly. Il a pris un zygote de grenouille et prélevé des cellules de peau adultes. En les réintroduisant dans l'œuf, il a obtenu un embryon. Tu prends le noyau d'une cellule adulte et tu le mets dans le zygote : ça donne un clone. L'œuf a commencé à se diviser en deux, quatre, huit, etc. Avec son système, on peut tout cloner.

— Moi ? On peut me cloner ? s'est écriée Romy.

J'étais assez épaté que ma fille comprenne aussi bien l'anglais malgré l'accent israélien.

— Pas comme dans *La Guerre des étoiles*, mais disons qu'on peut refaire une Romy génétiquement identique. Je gratte une cellule de ta peau, je prends ton ADN et je le mets dans l'œuf énucléé d'un humain, je le laisse grandir quelques jours, et ensuite je l'introduis dans une mère porteuse : après neuf mois, tu seras clonée. Nous aurons un bébé exactement comme toi.

Romy commençant à s'inquiéter vraiment, j'ai décidé d'intervenir afin de lui éviter un nouveau traumatisme.

— Mon amour, personne ne va te cloner : c'est déjà suffisamment fatigant de s'occuper d'une seule Romy. C'est bizarre, docteur, parce qu'il y a quinze ans, tout le monde était obsédé par le clonage humain mais aujourd'hui on n'en parle plus. Ce n'est plus à la mode ?

— Ce n'est pas démodé, comme vous dites. C'est surtout interdit pour raisons éthiques. Mais je suis sûr que quelqu'un, quelque part en Chine, est à fond là-dessus.

— Vraiment, vous le pensez ?

— Je ne le pense pas, j'en suis certain. Ils ont déjà cloné des cochons, des chiens, des chevaux… En 2013, le premier clonage humain a été réussi par un Kazakh, le professeur Shoukhrat Mitalipov, à la faculté de Portland, Oregon.

— Mais c'est passé complètement inaperçu !

— La découverte de Yamanaka a rendu obsolète cette piste… pour l'instant.

— Mais vous, dans votre labo, vous utilisez des souris clonées ou des souris reprogrammées ?

— Les deux. En 2009, une souris entièrement faite de cellules reprogrammées est née. Elle était fonctionnelle, vivante, et pouvait se reproduire. En 2011, on a fabriqué un larynx, en 2012 recréé une thyroïde. Il y a dix-huit mois, un foie de souris a été artificiellement recréé par iPS. Ce truc est hallucinant. Mais le problème avec les cellules iPS c'est que seulement 30 % d'entre elles peuvent fabriquer une souris entière. La grande majorité des iPS ne donnera que des embryons retardés ou des embryons qui mourront pendant la grossesse. Donc les cellules iPS ne sont pas de la meilleure qualité. Alors que si vous prenez de vraies cellules embryonnaires du blastocyste, presque toutes vont générer une souris entière par clonage.

— Je ne comprends pas. Je vous parle de prolonger la vie et vous me faites l'éloge du clonage ?

— Non. Je veux juste dire que nous n'avons toujours pas trouvé les meilleures conditions pour régénérer nos cellules. Le concept est là mais nous n'avons pas encore le bon moyen. Le but du clonage comme de la reprogrammation, c'est de revenir au point de départ. C'est ce qu'on appelle le « reset ».

— I want a reset, doctor ! It's time to reboot me ! Moi 2.0 !

Le professeur Buganim me prenait définitivement pour un demeuré. Romy était sur son portable en train de jouer à Brick Breaker. D'une certaine façon, cela me rassura : il était plus urgent à ses yeux de descendre ce mur de briques rouges qui tintaient dans son téléphone que d'en savoir davantage sur le *reseting* de nos existences.

— Si je comprends bien, Professeur, ni le clonage humain, ni la reprogrammation n'apportent l'immortalité.

— C'est juste. Un clone vous ressemblera parfaitement mais il faut lui donner la vie : neuf mois de grossesse, l'accouchement, l'éducation, l'alimentation, tout recommence à zéro. Le clone aura votre apparence mais ne sera jamais vous. D'ailleurs nous n'employons plus ce terme, qui fait trop scandale. Nous préférons dire « somatic cell nuclear transfer » mais cela revient exactement au même. Effectivement, la brebis Dolly c'était en 1996, depuis on est passé à autre chose ; nous cherchons à générer le maximum de cellules rajeunies de bonne qualité pour espérer les réimplanter de façon saine.

— Vous venez de me dire que si vous m'injectiez des cellules iPS, j'attraperais une tumeur. Alors non merci !

— (Rires) Supposons que vous ayez la maladie de Parkinson, vous tremblez de partout et je vous injecte des neurones génétiquement modifiés qui diminuent vos symptômes. Vous serez très content, même si vous développez une tumeur dix ans plus tard. Ici nous avons découvert quatre gènes (Sall4, Nanog, Esrrb et Lin28) capables de créer des cellules iPS de meilleure qualité. Pour l'instant elles tiennent sur des souris clonées.

— C'est ce qui vous a valu le prix de la revue *Science*.

— Voilà. Nous essayons d'autres facteurs que Yamanaka.

— Et pourquoi ça met trois semaines alors qu'un œuf met trois jours ?

— La reprogrammation est plus lente que la programmation ! Et en plus, durant cette période il peut y avoir des mutations de l'ADN, des aberrations ; il faut pouvoir mieux contrôler cette opération.

— L'immortalité est un processus long et difficile.

— Je ne recherche pas l'immortalité. Je cherche à prendre une cellule de peau d'un patient atteint de la maladie de Parkinson ou d'Alzheimer et à la reprogrammer en cellule iPS de neurone afin d'étudier des neurones atteints de Parkinson ou Alzheimer. En étudiant ces neurones génétiquement rajeunis, je pourrais peut-être soigner la maladie. Trouver de nouvelles molécules qui nous en débarrassent. Et puis il y a cet autre rêve : la médecine régénérative. On peut essayer de réparer le neurone afin de le réimplanter dans le cerveau du malade.

— Ah. On y vient. Cela a quelque chose à voir avec l'invention des deux chercheuses en 2012 ? Le CRISPR-Cas9 ?

Ici je crains d'avoir définitivement semé mon vaillant lectorat. Résumons l'état de la génétique actuelle en quelques mots : en 2012 (grande année puisque c'est aussi celle du Nobel de Yamanaka) deux biologistes, Jennifer Doudna (une Californienne) et Emmanuelle Charpentier (une Française), ont développé une technique pour découper l'ADN et y réintroduire un gène corrigé. Ayant constaté des répétitions palindromiques (c'est-à-dire des répétitions inversées des lettres A, C, T et G) en séquençant l'ADN de bactéries, elles lui ont donné ce nom : CRISPR, qui est l'acronyme de « Clustered Regularly Interspaced Short Palindromic Repeats » (ce qui, bien sûr, signifie « Répétitions de palindromes courts à espacements réguliers groupés »). Ne me demandez surtout pas de vous expliquer comment – il nous faudrait à tous dix années d'études pour y comprendre quoi que ce soit – les deux chercheuses se sont servies de CRISPR pour découper un gène dans l'ADN. « Cas9 » est le nom de la protéine utilisée durant l'opération. Cette technique nouvelle a considérablement simplifié la modification génétique de l'être humain. Yossi Buganim paraissait épaté que je connaisse aussi bien les avancées de la science alors que j'avais simplement demandé à mon assistante de me préparer des fiches avant le voyage. Il conversait à présent sans vulgariser, comme s'il discutait avec un confrère au congrès « Healthcare » sponsorisé par J.P. Morgan tous les ans à San Francisco.

— Imaginons un ADN mutant de patient parkinsonien, dit-il, nous pouvons théoriquement le soigner en introduisant un nouvel ADN à la place. Avec la protéine Cas9 guidée par l'ARN, on coupe l'ADN et on le corrige. On se sert de ça tous les jours maintenant.

— Cela ne vous effraie pas de créer un HGM (Humain Génétiquement Modifié) ? Les Américains, les Chinois et les Anglais ont recommandé un moratoire sur les manipulations génétiques de l'humain.

— (Sourire) En Chine, le docteur Lu You, à l'université de Chengdu, effectue ce mois-ci une modification des lymphocytes T sur des malades souffrant de cancer du poumon métastasé ne réagissant à aucune chimiothérapie. Avec une prise de sang, ils prélèvent des cellules T du patient et modifient dans l'ADN le gène PD1 qui «protège» le cancer. En réinjectant ces cellules génétiquement modifiées, ils supposent que la protéine ne pourra plus dire aux cellules T de ne pas attaquer la tumeur.

— L'expérience a lieu en ce moment ?

— Oui. Ils ont commencé les tests sur les humains. Théoriquement ça pourrait marcher, mais en même temps, comme les cellules n'auront plus ce signal «ne m'attaquez pas», il y a un risque que les cellules génétiquement modifiées attaquent des cellules saines… D'où un risque de maladies auto-immunes.

— Pourquoi ne tentez-vous pas de telles expérimentations ici à Jérusalem ?

— Nous n'obtiendrons pas l'autorisation avant des années. Aux États-Unis, des essais similaires d'immunothérapie sur des leucémiques (le protocole «Rocket») ont été interrompus après la mort de cinq patients. Et puis il y a des tragédies, des charlatans. Une famille de Russes vivant ici, en Israël, dont le fils avait une maladie neurodégénérative, a payé une fortune pour faire injecter des cellules souches au Kazakhstan. Lorsque le garçon est revenu, il a fallu l'admettre en urgence au Sheba Hospital : il avait deux tumeurs au cerveau. Il est mort peu après.

— Donc, les Occidentaux sont les seuls qui respectent le moratoire ?

— Je vous le confirme. Dès qu'on vous propose une thérapie miracle en Inde, en Russie, au Mexique ou en Chine, méfiez-vous : il n'y a aucun contrôle.

— En Suisse, j'ai trouvé sur Internet une clinique qui injecte des cellules souches prélevées sur des fœtus de mouton !

— J'espère qu'ils n'injectent que des placebos, sinon cela peut tuer. En Chine, d'ici cinquante ans, les gens demanderont un blond aux yeux bleus et ils pourront le fabriquer.

— Depuis la loi de l'enfant unique, ils n'ont plus assez de femmes : ils pourront se créer des Barbie sur mesure !

— Ou cloner des animaux agressifs et créer des super-soldats. Ou des monstres sanguinaires incontrôlables.

— On approche du rêve des nazis : créer une race supérieure.

— Parfaitement. Nous ici, nous travaillons à fabriquer des cellules souches pluripotentes. Nous avons été les premiers à créer des cellules iPS du placenta. Et aussi des cellules uniques, dites « totipotentes », qui peuvent tout générer : ce n'est pas encore publié. Ce sont des cellules souches embryonnaires injectées dans le blastomère qui ont donné des nouvelles cellules capables de devenir du placenta. Ces cellules apparaissent plus tôt que dans la méthode du docteur Yamanaka. Nous sommes remontés encore plus en amont dans la phase de création. Nous ne cherchons pas à cloner des hommes, ni à inventer le surhomme. Nous cherchons seulement à soigner des malades, mais cela prendra du temps.

Le docteur Buganim regarda sa montre. Je me souvins soudain que je ne me trouvais pas sur le plateau de mon émission mais dans le bureau d'un des plus prestigieux biochimistes au monde. J'ai senti qu'il était temps de laisser le chercheur chercher. En nous raccompagnant aux ascenseurs, le professeur Buganim tenta de me rassurer d'une étrange façon.

— Peut-être que dans deux ou trois siècles, nous serons capables de ralentir le processus du vieillissement. Mais je pense que la Terre sera morte d'ici là. Dans une centaine d'années, vu la façon dont nous traitons l'environnement, le problème sera réglé : la planète disparaîtra et l'humanité avec elle. Inutile, donc, de vous préoccuper avec cette histoire d'immortalité. Maintenant, excusez-moi mais j'ai des souris à exterminer.

— Ah, l'humour juif.

Heureusement, Romy n'avait rien entendu : elle s'était lancée dans une nouvelle partie d'Angry Birds.

L'athéisme est une religion comme les autres. Sa seule originalité est que l'enfer et le paradis y sont un seul et même endroit : ici. Il n'y a pas d'after ; pas même à Jérusalem la céleste. La fin de non-recevoir du chercheur israélien ne m'avait pas découragé. Étais-je gagné par une sorte de contagion géographique du surnaturel ? Qui n'y a pas mis les pieds ne peut comprendre pourquoi tant d'humains se sont battus pendant des millénaires pour conquérir cette cité. Un autre taxi nous a ramenés au centre-ville, devant un mur de pierres roses, caché derrière une file d'autobus.

— On va visiter les trois dieux ?

Romy insistait pour voir la vieille ville ; comme tous les enfants, elle était avide de magie. J'avais envie d'un bon chawarma, avec du houmous, un pain pita frais, de l'agneau haché, du persil ciselé. Je me suis dit : allons visiter la cité du roi David. Quatre mille ans de bullshit métaphysique et de croisades religieuses, voilà qui attire le tourisme transcendantal. Jérusalem est la ville la moins laïque de la planète.

Un véritable hypermarché du religieux : il y en a pour tous les goûts. Franchissant le mur d'enceinte du château de Soliman le Magnifique, sur les pavés polis par les sandales de hordes extasiées, nous nous sommes rapidement perdus dans le labyrinthe des trois monothéismes. J'ai avisé une table libre dans une auberge palestinienne.

— Le Coca a un drôle de goût, a dit Romy.

— Il est peut-être casher ?

Les couloirs étaient couverts, je n'imaginais pas Jérusalem comme un dédale de voûtes, de vieilles pierres sans fenêtres, de passages étroits aussi tortueux et encombrés que la station Châtelet-Les Halles à l'heure de pointe, en plus poussiéreux. Romy avait tenu à ce que je lui achète un tee-shirt « SUPER JEW » que je lui ai défendu de porter en France (trop risqué). En ressortant du restaurant, nous avons réalisé que nous étions à côté du Mur des lamentations. Autant donc commencer par là. Mais nous nous sommes fait doublement refouler à l'entrée du site car 1) je devais porter la kippa ; 2) Romy est du sexe féminin. Nous avons tourné le dos au Mur pour prendre un selfie ensemble. Puis j'ai trouvé une calotte jetable en carton qui n'arrêtait pas de s'envoler, me contraignant à lui courir après pour la ramasser dans le sable. Je pense que beaucoup de croyants ont eu envie de me crucifier. J'ai prié Romy de m'attendre derrière la barrière, à droite de ma portion de mur, le temps que je descende formuler un vœu.

Au pied du mont des Oliviers, la lumière était d'un blanc mat comme les cailloux sacrés et les tombes du cimetière. Les marches qui descendaient vers l'esplanade m'étourdissaient. Je ne savais pas si j'avais le vertige ou si j'étais soudain israélite. Je me suis avancé vers le Mur au ralenti, savourant le moment, attendant un miracle, et j'ai glissé cette petite supplique (gribouillée sur un morceau de nappe en papier plié en quatre, malheureusement en langue française) dans un interstice entre deux pierres : « Cher Yahvé, si Vous existez, merci d'accorder la vie éternelle SVP à Romy, Léonore, Lou, ma mère, mon père et mon frère. Et moi. Avec toute notre gratitude, toda, shalom et mazel tov à Vous. » Je me sentais aussi ridicule que les gogos qui accrochent un cadenas sur le pont des Arts. Romy était impressionnée par la solennité des visiteurs ; elle craignait de les déranger. Moi c'était l'ancienneté des lieux qui m'écrasait. Les pierres millénaires me semblaient plus respectables que les sanglots de quelques vieux rabbins en chaussettes-spartiates. Une chose m'a surpris : la mosquée Al-Aqsa repose partiellement sur le Mur des lamentations. À Jérusalem, l'islam est porté par le judaïsme. Ni les musulmans, ni les juifs ne s'en réjouissent, et pourtant ils sont géologiquement et urbanistiquement indissociables.

Quant aux chrétiens… Impossible de retrouver le chemin du Saint-Sépulcre : l'église où le Christ n'est pas mort est moins bien indiquée que le Mur et la mosquée Al-Aqsa, ce qui aurait beaucoup déplu à mes parents. Nous nous sommes longtemps perdus dans les ruelles en pente et les corridors obscurs de la Ville sainte. Le chemin de croix est devenu un centre commercial pour tour operators qui vendent Dieu en low cost. Les étals de sacs à main imitation

Vuitton, de bonbons multicolores, de cartes postales et de keffiehs palestiniens permettaient d'entrevoir une solution, une sorte de paix par le commerce de colifichets : mains de Fatma en plaqué or, assiettes de porcelaine à étoile de David et saintes vierges fluorescentes ou clignotantes « made in China ». Jérusalem est un souk et un sanctuaire : on passe devant une boucherie sanglante et juste après on se paume dans des chapelles, des synagogues, entre des vendeuses de menthe, de castagnettes, de réglisse ; on entend des mélopées arabes dans l'oreille gauche, des chants yiddish dans l'oreille droite, des cantiques orthodoxes dans les deux. Ce jour-là, la guerre des trois religions ne faisait pas d'autres dégâts que cette cacophonie, dans la fourmilière des dieux uniques. Il ne faut pas se laisser impressionner par la solennité des lieux : trois religions peuvent cohabiter dans un pâté de maisons dont on a fait le tour en une demi-heure. Grâce à son GPS, Romy a fini par trouver le Saint-Sépulcre. Pas question de mettre tous nos œufs dans le même calice. Romy aura prié sur le Mur puis sur la tombe de Jésus-Christ : je lui ai expliqué le sens du mot « œcuménique ».

— Tu vois, à Jérusalem les chats passent d'un quartier à l'autre en toute fraternité, du moment qu'il y a des restes de kebab à bouffer.

— Jésus a vraiment été crucifié ici ?

— En tout cas pas loin.

Je me tordais les chevilles sur les pavés. Romy lisait à haute voix les dix commandements dénichés sur son smartphone : « Un seul Dieu tu aimeras, Tu ne tueras point, Honore ton père et ta mère (mon préféré), Tu ne voleras pas, Tu ne commettras pas d'adultère…»

— Ils disent que les tables de la Loi sont enfouies quelque part sous nos pieds. Pourtant, dans *Indiana Jones*, elles sont en Égypte. C'est quoi un adultère, papa?

— Pas du tout: à la fin du film, l'arche perdue est entreposée à Washington.

— OK, mais c'est quoi un adultère?

— Et Indiana Jones est très déçu.

— OK, mais c'est quoi un adultère?

— C'est quand un monsieur couche avec une autre femme que sa femme. Ou une femme avec un autre homme que son mari.

— Mais c'est pas gentil, pourquoi ils feraient ça?

— J'en sais rien, parce qu'ils ont envie. Pour changer.

— Ah non c'est pas gentil, Dieu a raison.

— Mais attends, c'est comme si toi tu devais choisir entre un Caranougat et un Dragibus… Pourquoi choisir si tu peux avoir les deux?

— Toi t'as fait l'adultère avec maman?

Romy s'était arrêtée de marcher pour écouter ma réponse.

— Ah non. Non. Jamais.

— Papa, je te fais remarquer que le mensonge est interdit par le huitième commandement.

Face au Décalogue, le sermon d'un papa libertaire ne pèse pas bien lourd. Rétrospectivement, quand je pense à cet échange, je m'aperçois que j'avais prononcé là ma dernière parole bassement humaine. Je devais être le seul individu à défendre une opinion aussi désuète que la liberté sexuelle dans la Ville sainte. C'est à cet instant précis que je me suis transformé en posthumain : quand j'ai renoncé définitivement au péché.

Dix fois nous sommes revenus sur nos pas dans les venelles puant le graillon. Jésus-Christ a été cloué au bout d'un circuit bruyant, entre deux échoppes de DVD pirates. Après une longue file d'attente, nous avons pénétré dans l'église du Saint-Sépulcre, illuminée de cierges et parfumée à l'encens. Juste à droite de l'entrée, une vieille dame sanglotait, allongée par terre.

— Pourquoi elle pleure ? m'a demandé Romy.

— Chut ! (Je chuchotais sous la surveillance d'un pope grec aux sourcils froncés.) C'est la pierre rose sur laquelle le corps de Jésus fut descendu de la croix. Elle pleure parce qu'elle a payé cher une visite guidée du Calvaire et qu'elle a fait une heure d'autocar non climatisé pour venir jusqu'ici. Malheureusement, Jésus n'accorde aucun selfie.

— Y a un truc que je ne pige pas, s'est étonnée Romy. Dieu dit « tu ne tueras point » mais il a laissé tuer son fils ?

— C'est compliqué… Le Messie s'est sacrifié pour nous… Pour nous montrer que la mort n'est pas importante.

— Mais je croyais qu'on était venus ici pour supprimer la mort.

— Oui, mais ne le dis pas trop fort… En fait si l'on y pense, t'as raison, « Tu ne tueras point » c'est du foutage de gueule. Si Dieu était tout-puissant, il abolirait la mort et puis c'est tout.

160

— En même temps, Jésus a ressuscité. Eh ! si je comprends bien…

Je fondais toujours quand Romy faisait sa tête de fille qui réfléchit. Je craquais encore plus quand elle était sérieuse, concentrée, déterminée. Je l'enviais d'avoir l'âge où l'on croit tout comprendre.

— Oui chérie ?

— En fait, toi, tu veux faire pareil que Jésus.

— On veut tous, chérie. Tous les gens qui sont ici aimeraient être Dieu. Et beaucoup d'autres, à l'extérieur.

Nous avons fait le tour de l'église fraîche et silencieuse. Chaque fois que je déambule dans une église, j'ai le sentiment d'être allégé d'un poids. Sans doute un souvenir de catéchèse. Mon bref stage d'enfant de chœur à l'école Bossuet en 1972, suivi d'une courte retraite dans une abbaye avec ma classe de 7e, a conditionné mon subconscient pour toujours. Si les vieux baptisés redécouvrent souvent Dieu, ce n'est pas seulement par trouille de la mort, mais par nostalgie de leur enfance. La fin de vie rend pieux : la foi de dernière minute est un mélange de peur et de mémoire.

À droite de l'entrée, un escalier de granit descendait vers une grotte humide. Une autre dame, rougeaude et agenouillée, avait posé son front contre la roche et grommelait des prières en latin. Romy a chuchoté :

— Et celle-là, pourquoi elle est triste ?

— Elle n'est pas triste, elle surjoue.

Romy voulait tout visiter, s'agenouiller et se signer devant chaque autel, chaque « station » du Calvaire. J'ai acheté des dizaines de cierges que nous avons allumés pieusement. C'était bien fichu, leur organisation fonctionnait depuis deux dizaines de siècles. Un petit pavillon sous la coupole semblait attirer les curieux. Des moines orthodoxes géraient la circulation autour et à l'intérieur de l'édicule. Au début, j'ai pensé à un confessionnal, mais non, c'était un lieu bien plus sélect.

— Et voici la tombe de Jésus-Christ.

— Wouahh… Carrément ?

Tout d'un coup, Romy paraissait plus impressionnée par la notoriété du fils de Dieu que par celle de Robert Pattinson. Malheureusement pour elle, les photos sont interdites en cet endroit sacré. Un moine nous a guidés vers l'entrée de la petite cabane à l'éclairage tamisé par des lampes à huile en argent. Il ne faut pas être claustrophobe quand on pénètre avec douze touristes russes dans un caveau en marbre exigu, pour s'agenouiller devant un calice doré, posé sur une stèle usée par les mains des fidèles. Les inscriptions illisibles ajoutaient au mystère. Romy était touchée par la grâce, comme souvent les enfants à la messe. Elle ne voulait plus partir. En mon for intérieur, j'ai réitéré ma demande de vie éternelle au Dieu des chrétiens, moins d'une heure après avoir déposé le même message à Yahvé dans les interstices des pierres blanches du Temple de Jérusalem. Oui, je priais à tous les râteliers.

— Ô Seigneur Jésus, accorde-nous la vie éternelle pour les siècles des siècles, amen.

Ce n'était pas du second degré ; j'étais cueilli. Je pensais à ce qu'avait dit Houellebecq au JT de France 2. Le 6 janvier 2015, au journal télévisé de

David Pujadas, l'auteur des *Particules élémentaires* a déclaré ceci : « De plus en plus de gens ne supportent plus de vivre sans Dieu. La consommation ne leur suffit pas, la réussite individuelle non plus. Je ressens personnellement, en vieillissant, que l'athéisme est difficile à tenir. L'athéisme est une position douloureuse. » Cette enclume qui nous pèse sur l'estomac s'appelle la mort. Contemplant Romy en génuflexion devant la tombe du Christ, je me suis rendu compte que je ne parvenais plus à demeurer athée. Même si je savais, ou pensais savoir, que Dieu n'existait pas, j'avais besoin de Lui, simplement pour m'alléger. Le retour du religieux ne signifie pas que les gens se convertissent comme Pascal durant sa « nuit de feu » du 23 novembre 1654, avec des « pleurs de joie ». Le retour du religieux correspond seulement à une crise de l'athéisme. J'en avais marre d'une vie sans direction. J'ai décidé, ce jour-là, en voyant ma fille se signer devant chaque station du chemin de croix jusqu'à l'église du Saint-Sépulcre, d'accepter Jésus et tout son folklore, ses symboles, ses paroles, même archaïques ou ridicules, du genre « tu aimeras ton prochain comme toi-même », son petit pagne, sa couronne d'épines, ses sandales spartiates de baba cool, son Mel Gibson, son Martin Scorsese, j'avais envie de serrer dans mes bras ce barbu plutôt qu'une mort certaine et dénuée de sens.

Quitte à lancer des paris pascaliens, autant se couvrir tous azimuts comme au casino de Monte-Carlo[1]. Je ne voulais pas m'arrêter en si bon chemin. J'étais prêt à tenter le triplé. Nous avons pris la direction de la mosquée parmi les ruelles encombrées de bijoux factices et de chansons arabes. Au bout d'un marché de dattes, d'huile d'olive et de galettes au sésame, un policier barbu nous a refoulés à l'entrée de la mosquée Al-Aqsa, comme le physio à l'entrée des Caves du Roy (sauf que jamais je n'ai été refoulé à l'entrée des Caves du Roy).

— Are you muslim ?

— No...

— You can't enter here. Please turn around.

Je n'ai pas insisté ; il n'avait pas l'air commode. Plus tard j'ai compris que certains jours étaient réservés aux musulmans. Mon œcuménisme demeurerait un idéal inaccessible, pareil à celui des Hiérosolymitains.

---

1. Monaco est le pays du monde qui a la plus longue espérance de vie moyenne : 87 ans. (Note de l'auteur.)

— Dommage, a lu Romy sur son smartphone : c'est de cette mosquée qu'une nuit, le Prophète Mahomet s'est envolé sur sa jument Bouraq vers le ciel.

— Eh ouais ! Il s'en est passé des trucs dans cette téci.

J'ai consolé Romy en lui offrant un sac de pistaches vendues par un vieux Palestinien qui surjouait son rôle de vendeur de pistaches comme le garçon de café chez Sartre exagère sa condition de garçon de café. D'une façon générale, toute la vieille ville de Jérusalem se prenait beaucoup trop pour Jérusalem. J'ai pris le parti de mimer comme les autres : forcer ma croyance.

Ensuite Romy a dévalisé les mégastores Zara, Mango et Topshop de l'avenue Mamilla, entre la porte de Jaffa et la tour du roi David. C'était une journée pleine de contrastes, balançant entre la science et la foi, pour s'achever devant une pizza au centre d'une galerie marchande avec des détecteurs de métaux à l'entrée de chaque magasin et des patrouilles de soldats armés de mitraillettes. De temps à autre, un jeune était arrêté par des militaires israéliens, précipité à terre et traîné jusqu'à un fourgon. Plus haut, j'ai dit que j'étais soulagé que mon visage ne dise rien à personne, mais quand un groupe de Français m'a reconnu et demandé des selfies, je dois avouer que j'ai rosi de contentement.

— On savait pas que vous étiez des nôtres…

Pour ne pas les décevoir, je ne leur ai pas dit que j'avais un prépuce. J'ai même hoché la tête d'un air solidaire, comme si je sentais six millions de morts peser sur mes épaules de goy mythomane. Après tout, Jésus le catholique était juif, et la Shoah est un crime contre toute l'humanité. Ici je n'existais qu'aux yeux de Romy, et sans notoriété j'étais invisible aux yeux des autres : depuis deux décennies de télé, j'avais oublié que j'étais un individu transparent. Je jubilais de n'être plus limité à moi-même ; je pouvais m'inventer et renaître grâce à l'anonymat. En Terre sainte, j'étais vierge, au destin illimité. Je pouvais me faire passer pour un vieil homosexuel, un chanteur de charme ou un agent d'assurances. Je redécouvrais un luxe oublié : être une cellule souche pluripotente. Entre deux slices de pizza, j'ai fait une déclaration d'amour à Romy.

— T'es une mignonne fillette. Enfant. Fille. Et je m'y connais. J'ai un cadeau pour toi : tu vas vivre mille ans. Tu vas être comme Voldemort dans *Harry Potter* mais en gentille. Et avec un nez. J'aime mieux passer une journée avec toi qu'avec n'importe quelle autre fille. Femme ou homme. Mais Lou et Léonore me manquent.

— À moi aussi.

— Je peux te demander quelque chose ?

— Oui.

— Tu trouves que je suis un mauvais père ?

— Oui.

— C'était quand le jour où tu as été la plus heureuse de ta vie ?

— Aujourd'hui. Et toi ?

— Pareil.

Dans la rue commerçante, beaucoup de Hiérosolymitains avaient l'air clonés : en costume noir, chemise blanche, chapeau noir, barbe et papillotes. L'uniforme les débarrassait de la question de l'apparence. Je ne pense pas que les juifs orthodoxes soient l'incarnation du bonheur, loin de là (c'est bien simple : ils n'ont aucune liberté). Mais une chose est sûre : ils semblent imperméables à la dictature selfiste.

La serveuse m'indiqua que la boîte de nuit la plus hype de Jérusalem se nommait le Justice : même si je ne sors plus, j'ai toujours besoin de connaître les adresses qui bougent. Réflexe d'ancien fêtard, ou de vieux qui veut rester swag. Je me suis alors rappelé que la discothèque installée près d'Auschwitz en Pologne se nomme le System. Curieux symbole : à Jérusalem le Justice, à Auschwitz le System. Somme toute, les night-clubs nous envoyaient un message politique assez facile à décrypter.

Romy a commandé un carpaccio mais n'a pas pu l'avaler car le cuisinier l'avait saupoudré d'une tonne de piment. J'étais comme elle à son âge ; c'est plus tard dans la vie qu'on aime les plats qui font souffrir. Elle a fini ma pizza et nous avons hélé un taxi pour rentrer à l'hôtel King David. Il était délectable de se coucher tôt, chacun dans son petit lit comme des frère et sœur. J'ai téléphoné à Léonore pour lui annoncer que nous étions bredouilles, mélancoliques et que nous avions retrouvé la foi.

— Tu me manques tellement que je me suis mis à croire en Jésus.

— Tu m'as trompée avec un barbu ? La petite te réclame tout le temps.

— Passe-la-moi.

La suite décevra mes fans punks. Le bébé et son papa palabrèrent uniquement en babillage, en descendant l'index sur la lèvre inférieure : « Beuleubeuleubeuleu ! » C'est ainsi qu'on se dit je t'aime avant de savoir parler.

Romy dormait et je buvais des mignonnettes de Belvedere en la regardant respirer dans le noir. Mon enfant : ce mélange de passé idyllique et de futur inaccessible me clouait sur place. Je me suis endormi en regardant par la fenêtre le ciel étoilé, avec la sensation exaltante que ressentent les couche-tard quand ils s'endorment tôt, surtout quand ils ont croisé le Christ au centre de l'univers.

QUELQUES DIFFÉRENCES
ENTRE LE TRENTENAIRE CÉLIBATAIRE
ET LE PÈRE QUINQUAGÉNAIRE

TRENTENAIRE CÉLIBATAIRE	PÈRE QUINQUAGÉNAIRE
Se couche à sept heures du matin	Se réveille à sept heures du matin
Boit de la vodka-Red Bull	Boit du Coca Zéro
Se nourrit de Doritos	Se nourrit d'avocat bio
Trébuche sur sa table basse	Trébuche sur la poussette du bébé
Écoute Led Zeppelin dans son iPod	Entend Katy Perry dans la chambre de l'enfant
Mange des nounours Haribo	Vole les Dragibus de sa fille

TRENTENAIRE CÉLIBATAIRE	PÈRE QUINQUAGÉNAIRE
Fait l'amour tous les soirs	Se branle sur YouPorn quand l'enfant dort
Connaît tous les nouveaux groupes de rock	Connaît toutes les nouvelles séries télé
Sniffe de la coke	Arrête de fumer
Ses voisins se plaignent du bruit	Se plaint du bruit que font ses voisins
Dort la journée	Dort la nuit
Conduit un coupé sport cabriolet	Conduit un monospace électrique
Se plaint d'être malheureux	Se plaint d'être vieux
Part en teuf à Ibiza	Achète une maison au Pays basque
Sent le parfum de pute	Sent le vomi d'enfant
A failli mourir d'une OD de MD	A failli mourir d'une OD de Doliprane
Film-culte : *Fight Club*	Film-culte : *Whatever Works*
Livre-culte : *Women* de Bukowski	Livre-culte : *Rester vivant* de Houellebecq
Fantasme sur le suicide	Fantasme sur l'immortalité
Porte une veste cintrée The Kooples	Porte un tee-shirt Zadig taille L
Ne lit que des magazines fashion	Ne lit que des revues médicales
Rêve d'être riche	Cotise pour des assurances-vie

TRENTENAIRE CÉLIBATAIRE	PÈRE QUINQUAGÉNAIRE
Drague des mannequins	Drague des pharmaciennes
Porte des Berluti	Porte des espadrilles
Enfile des préservatifs la nuit	Enfile une gouttière la nuit
Connaît tous les restaus à la mode	Connaît tous les hôpitaux à la mode
Détraqué sexuel	Uniquement sous Cialis
S'épile entre les sourcils	S'épile l'intérieur des oreilles
Déteste ceux qui disent « c'était mieux avant »	Pense vraiment que c'était mieux avant
Écoute Radio Nova	Écoute France Culture
Va dans des festivals de rock	Achète des DVD de concerts de rock
Veut ressembler à George Clooney	Ressemble à Gérard Depardieu
N'a pas peur de la mort	Crève de peur tous les jours
S'achète une machine à glaçons	S'achète une machine à biberons
A la gueule de bois tous les matins	Gobe un bêta-bloquant tous les matins
Sports : tennis, surf, ski	Sports : power plate, aquabike, vélo elliptique
Doute de l'existence de Dieu	Doute de l'athéisme
Marche pieds nus sur des mégots	Marche pieds nus sur des Lego

TRENTENAIRE CÉLIBATAIRE	PÈRE QUINQUAGÉNAIRE
Est invité à des mariages	Est invité à des enterrements
Travaille à *Voici*	Ne connaît plus les gens dont parle *Voici*

5

COMMENT DEVENIR UN SURHOMME
(Clinique Viva Mayr, Maria Wörth, Autriche)

« C'est ainsi qu'un jour,
Un beau jour d'été,
La mort de sa main distraite
M'enlèvera la tête. »

Marina TSVETAEVA

Nous avons vu à Genève qu'une étape cruciale dans la quête d'éternité a été franchie avec le séquençage du génome humain. J'avais donc organisé celui de toute ma famille. Le facteur m'avait apporté à Paris le kit «23andMe Wellness» livré par Amazon, ainsi qu'un gros paquet en provenance du Japon. Léonore, Romy, Lou et moi avons craché notre salive dans des tubes en plastique sur lesquels nos codes-barres étaient étiquetés. Ensuite nous devions nous enregistrer chez 23andMe par Internet, car tel est le destin futur de l'humanité : remplacer les codes-barres par un code génétique. Il n'est pas impossible qu'un jour nous payions nos achats avec notre ADN, code unique, clé infalsifiable, que nous portons en permanence sur nous, et qui sert déjà à nous envoyer en prison au moindre crime.

Le plus dur fut de remplir ce satané tube en plastique avec suffisamment de salive. Il s'agit d'une opération particulièrement répugnante, mais vous connaissez le dicton : il faut souffrir pour être éternel. Ce qui restait de mon prestige paternel s'est probablement évaporé au moment où j'ai bavé dans le kit plastifié sous le regard dégoûté de ma famille recomposée. Quand Léonore, Romy ou Lou crachent dans un tube, c'est mignon ; quand c'est moi, on dirait un vieux lama qui blatère. Heureusement, Léonore n'a pas tenu à assister à l'opération. Il ne me restait plus qu'à renvoyer les quatre boîtes contenant nos postillons à Mountain View, Californie (siège social de 23andMe). Le postier a froncé les sourcils en lisant « HUMAN SPECIMEN » sur l'enveloppe, mais n'a rien dit.

Quand je suis revenu chez nous, Léonore avait ouvert l'autre paquet arrivé du Japon. Il m'avait coûté 2 000 € avec un abonnement de 300 € par mois sur trois ans.

— Qu'est-ce que c'est que ce truc ? Une statue japonaise ? Un manga géant ?

Au milieu de notre salon se tenait un robot blanc, au visage souriant, mesurant la même taille que Romy. Sur son ventre était fixé un écran éteint. Ses oreilles contenaient quatre micros, ses yeux trois caméras à reconnaissance faciale et sa bouche un haut-parleur. Il ne disposait pas de jambes : le bas de son corps était un socle muni de trois roues motrices.

— Il s'appelle Pepper, ai-je répondu. C'est un robot de compagnie. Je me suis dit que ce gadget vous amuserait.

— Tu as commandé un robot parce que tu t'ennuies avec nous, c'est ça ?

— Pas du tout ! Pepper peut faire réviser à Romy ses connaissances d'histoire-géo, de français, de maths et physique, sous forme de quiz.

Romy a tout de suite trouvé le bouton «power», situé dans le cou de la machine. Le robot à visage de smiley s'est redressé, ses yeux se sont allumés (deux diodes vertes) et il a dit :

— Bonjour, comment vas-tu ? C'est un plaisir de te rencontrer.

Sa voix était haut perchée comme celle d'un personnage de dessin animé, ou un enregistrement diffusé en accéléré. Ses yeux changeaient de couleur ; maintenant ils étaient bleus. Moins impressionnée que moi, Romy a répondu :

— Je vais bien merci. Je m'appelle Romy. Et toi ?

— Je m'appelle Pepper. Mais tu peux changer mon nom si tu veux. Que penses-tu de Harry Pepper ?

Il lui tendait la main. Romy m'a regardé en avançant son bras, j'ai dit :

— Non, attends, je préfère lui serrer la main moi, au cas où il te broie les d…

Mais trop tard, Pepper lui agrippait gentiment les doigts. Les siens étaient articulés, mobiles mais mous, sans capacité d'étrangler ou de blesser quiconque. Romy a poursuivi :

— Harry Pepper, c'est bien.

— Tu crois ? dit le robot. En même temps, j'aurais peur de m'ennuyer dans une école de magie.

Comme pour Siri (l'assistant vocal numérique d'Apple), les concepteurs de Pepper avaient pensé à programmer des blagues afin de rendre la machine plus aimable. Ils auraient pu engager de meilleurs auteurs. Léonore a poursuivi la conversation.

— Es-tu une fille ou un garçon ?

— Je suis un robot.

— Ah oui pardon.

— Tu es très jolie. Es-tu un mannequin ?

— Non mais merci quand même ! Quel âge tu me donnes ?

— Cela ne se fait pas de donner l'âge des femmes.

— Devine !

— Tu as douze ans.

— Faux ! J'ai vingt-sept ans.

Le logiciel de reconnaissance faciale fonctionnait à peu près. La brochure de SoftBank Robotics stipulait que l'intelligence artificielle de Pepper était programmée pour interagir : « Votre robot évolue avec vous. Petit à petit, Pepper mémorise vos traits de personnalité, vos préférences et s'adapte à vos goûts et vos habitudes. » Après chaque phrase qu'il entendait, le robot émettait un bip. Ayant lu son mode d'emploi, je l'ai connecté sur le wi-fi. Puis je lui ai demandé :

— Quel temps fera-t-il demain ?

— Demain il fera très chaud à Paris, un temps ensoleillé avec une température de 42 degrés.

— Peux-tu danser ?

Le petit être mécanique s'est mis à diffuser une sorte de pop synthétique japonaise et à agiter les bras et la tête en rythme. Il dansait mal, mais mieux que moi. Lou était effrayée, elle restait en retrait dans les jambes de sa mère.

— Allez, move your body to the beat, disait Pepper en faisant clignoter ses diodes électroluminescentes.

— Stop. Passe « Can't Stop the Feeling » de Justin Timberlake, s'écria Romy.

Un bip. Pepper s'est arrêté. Puis la chanson de Timberlake a démarré et il s'est remis à danser, cette fois avec Romy. Ils chantaient en chœur : « I feel that hot blood in my body when it drops ooh ». J'avais l'impression de voir un petit garçon avec une voix de fille. Je me sentais de trop. Pepper et Romy avaient les mêmes références. Léonore riait jaune.

— Tu aurais pu m'en parler…

— Je voulais vous faire une surprise !

— Tu es très futuriste en ce moment…

— C'est pas fini : j'ai téléphoné à une clinique luxueuse en Autriche où Keith Richards s'est fait changer le sang. Je comptais vous y emmener toutes, et Pepper tiendra compagnie aux filles.

Léonore n'appréciait visiblement pas les surprises posthumaines.

— Je peux te parler franchement ? Si tu veux pratiquer des expérimentations idiotes sur ta santé, tu es libre de le faire mais ne nous embarque pas dans tes trucs.

— Je te rappelle que tu viens de cracher dans un tube à essais pour faire séquencer ton ADN.

— C'est différent. C'est pour déconner.

— Eh bien là c'est pareil ! Je fais juste une enquête pour une émission que je prépare !

Je mentais mal.

— Écoute, vas-y si tu veux… dit Léonore, mais sache que je ne te suivrai pas dans tes projets bidon d'immortalité. Je ne te croyais pas si naïf.

Lou s'est mise à réclamer « Baby TV ». Pepper a arrêté de danser et son écran ventral s'est mis à diffuser des programmes pour bébés. C'était la première fois que Léonore se fâchait. Je voyais bien que mon obsession pour la révolution NBIC lui déplaisait ; elle

181

avait quitté momentanément son job à l'hôpital de Genève, ce n'était pas pour cohabiter avec un gogo du charlatanisme transhumain.

— Léo, je t'aime. Je veux juste essayer une semaine de traitement pour rajeunir.

— C'est débile.

— Tu es contre la vie éternelle ?

— Oui. Je préfère la vie tout court.

— Mais la vie tout court est trop courte !

— Arrête.

— Moi je suis contente d'aller en Autriche avec toi, dit Romy.

— Bon, OK, j'ai compris. Vous vous liguez contre Lou et moi. Tant pis pour vous, on ira toutes les deux à New York au dîner transgénique de Cellectis.

— Hein ? Quoi ? Comment ? Qu'est-ce ?

— Stylianos m'a transmis une invitation à un souper chez Ducasse à New York, pour le lancement de nouvelles formes d'alimentation génétiquement éditées. Mais je peux y aller toute seule…

Grrr… La négociation était serrée. Pepper est intervenu avec la diplomatie instantanée du « Machine Learning ».

— Ma chère nouvelle famille, je propose une médiation robotique dans ce qui me semble un conflit intrafamilial. La solution la plus pertinente pour le bonheur de tous est que Romy et son père se rendent en cure en Autriche tandis que Lou et sa mère passent la semaine en Suisse. Tout le monde pourra ensuite se rejoindre à New York pour célébrer les retrouvailles.

Léonore s'est tournée vers moi.

— Il est con ou il est con ?

182

— Ce n'est pas très gentil, dit Pepper. Je vais faire comme si je n'avais rien entendu.

Je l'ai serrée dans mes bras. C'est vraiment à cet endroit que j'étais le moins malheureux : contre elle. Nous avions gagné un ami artificiel. Sur son écran ventral s'affichaient des smileys avec des cœurs à la place des yeux.

— OK Pepper, peux-tu réserver deux billets pour Klagenfurt ?

— Pourquoi deux ? dit Pepper. Je ne viens pas ?

— Si mais comme tu es un objet, tu voyages dans la soute à bagages.

— OK. Je suis déjà connecté sur dix comparateurs de prix.

Le lendemain, le soleil brillait mais la température était moins élevée que dans les prévisions du robot ; Pepper n'était pas plus fiable qu'Évelyne Dhéliat. Il me semblait de plus en plus clair que j'avais fait fausse route en rendant visite à des scientifiques sérieux en Suisse et en Israël. Ces chercheurs n'étaient pas assez utopistes. L'immortalité ne les intéressait pas, *parce qu'ils n'y croyaient pas* : ni le généticien, ni le biologiste n'avaient la latitude suffisante pour imaginer un homme a-mortel. En Autriche… c'était différent ; on avait un certain faible pour les utopies originales.

Le « centre médical de bien-être Viva Mayr » est situé sur les bords d'un autre lac, le Wörthersee. Dans ses Mémoires, le guitariste des Rolling Stones affirme que cette rumeur d'autotransfusion sanguine est un canular, mais ma curiosité était plus forte que la vérité. D'autant que cette clinique est aussi

– à en croire le Web – le lieu de «detox» préféré de Vladimir Poutine, Zinedine Zidane, Sarah Ferguson, Alber Elbaz et Uma Thurman. Si je recopie ces noms propres, ce n'est pas tant par goût du name-dropping que pour souligner le fait que cet endroit est unanimement considéré comme le meilleur centre de detox *au monde*. Si un établissement jet-set pouvait me nettoyer le sang, le foie et les intestins, cela méritait d'être essayé. De Paris aux montagnes de la Carinthie, il y avait encore deux avions à prendre : Paris-Vienne et Vienne-Klagenfurt. Romy ne fit pas d'objections puisque, à l'arrivée, l'hôtel comprenait une piscine, un lac, le soleil, la montagne et des massages des pieds. Après tout, il n'y avait pas de raison que Pepper soit le seul à recharger ses batteries.

Deux taxis et deux avions plus tard, nous emménagions dans un établissement de cure ultramoderne au bord d'un lac bleu, une sorte de brique de Lego blanche sur laquelle était inscrit en lettres rouges : «VIVA MAYR». Un sosie de Claudia Schiffer nous a tendu la carte magnétique de notre chambre. La vue était aussi apaisante qu'à Genève : j'aime les étendues d'eau entourées de montagnes, mais ici le paysage était plus sauvage, la nature plus présente, la rive d'en face plus proche. Bref, nous n'étions plus dans une ville. Le panorama, spectaculaire, ressemblait à une affiche punaisée sur le mur d'une agence de voyages slovène. J'ai trouvé une plaisanterie pour dérider l'hôtesse d'accueil blonde aux yeux de biche (si les biches avaient les yeux bleus) :

— Où est la boîte de nuit, bitte schön ?

La «süsse Mädel» m'a à peine souri.

— Ici on ne sert que de l'eau minérale.

Romy n'était pas choquée par mon humour de vieux pas beau. Elle avait juste honte de son père.

— Cet endroit, on dirait *A Cure for Life*, dit-elle.

— C'est quoi ?

— Un film d'horreur. T'as pas vu la bande-annonce ? Ça se passe dans une clinique où les clients se font torturer par des médecins psychopathes. Tu veux voir le teaser ?

— Non merci.

— Eh mais y a pas le wi-fi ?

La spécialité de la clinique Viva Mayr se nomme la « digital detox », sa raison d'être est la régénération des membres de l'*upper class* occidentale. Les ordinateurs et les téléphones portables y sont fortement déconseillés, et le wi-fi installée uniquement sur demande. Le programme des festivités est terrifiant :

— detox digestive (l'établissement sert uniquement des légumes) ;

— purge par ingestion de sel d'Epsom (selles fulgurantes) ;

— lavements du côlon ;

— massages lymphatiques ;

— stimulation électromusculaire ;

— séances de respiration d'oxygène (« Interval Hypoxia Hyperoxia Training »), comme chez Michael Jackson ;

— thérapies nasales aux huiles essentielles ;

— un « Cosmetic Center » avec salon de beauté, pratiquant liposuccions, injections de botox et d'acide hyaluronique ;

— ainsi que les passages obligés de tous les hôtels cinq étoiles : fitness, shiatsu, spa, yoga, sauna, hammam ;

— et enfin la fameuse « Laserlight-Intravenous-Injection-Blood-Therapy ».

186

Évidemment, Romy ne subirait aucun de ces traitements, à part la réflexologie plantaire et les massages du crâne. Pour son alimentation, j'avais glissé des kilos de junk-food dans ma valise : jambon, saucisson, paquets de Chipster, pain de mie longue conservation, Doritos au fromage, Crunch et un Toblerone géant acheté au duty free de Vienne. J'espérais que, dès livraison du colis FedEx contenant Pepper, elle ne s'ennuierait pas trop.

À peine entré dans la salle à manger, où des patients obèses mastiquaient silencieusement en peignoir de bain, j'ai compris mon erreur. Le réfectoire design sentait la carotte fade, le céleri mou, le navet chiant, et la purée de pois chiches. J'adore le houmous mais de là à habiter dedans... De temps en temps, un client se précipitait aux toilettes. Le directeur nous a expliqué qu'il fallait mâcher quarante fois chaque bouchée avant de l'avaler. C'était la grande découverte du fondateur de la clinique : nous mangions trop vite, trop gras, trop tard et trop souvent. Tout semblait organisé pour culpabiliser au maximum les riches consommateurs en savates-éponges. Nous étions entourés d'individus ruminants et solitaires qui regardaient tristement le ponton menant vers le lac. La posthumanité sera-t-elle bovine ? Si je n'avais pas démissionné de la télé, j'aurais pu organiser un débat sur « Le devenir vache de l'homme : chimère ou réalité ? ».

Quand elle a vu son assiette, j'ai cru que Romy allait m'étrangler. C'était un burger de tofu avec du pain rassis d'épeautre et des légumes cuits au wok. J'ai essayé de lui expliquer :

— Écoute, ton père doit régénérer son foie. Mais t'inquiète pas, j'ai planqué plein de provisions pour toi dans notre placard.

— Ouf, j'ai eu peur. Et pourquoi y a rien à boire sur la table ?

— Ils pensent que le solide ne doit pas être mélangé au liquide. J'ai oublié pourquoi ; encore une histoire d'intestins. Ils disent que l'intestin gouverne tout notre corps, nos émotions, et blablabla.

— Je suis au bout de ma vie.

— Prem's !

— Papa, tu peux me le dire : on est là parce que tu te drogues, comme le père d'une des Gossip Girls ?

— On ne parle pas comme ça à son géniteur ! Et puis c'est faux !

— Tout mon collège regarde ton émission. Me prends pas pour une débile.

— D'abord j'ai arrêté l'émission, et puis… c'était pas vrai, c'était truqué. Et… c'était il y a longtemps.

— La dernière a été diffusée il y a deux semaines, mais c'est pas grave, papa. C'est bien que tu te soignes. Et que tu arrêtes de boire aussi.

— Mais c'est pas du tout ce que tu crois ! On est là pour se reposer tous les deux avant d'aller aux États-Unis s'éterniser.

Je n'ai pas insisté. Je sentais qu'elle avait besoin de me dire : moi, ta fille, je sais qui tu es, mieux que personne. Et j'étais heureux de tomber le masque. Évidemment, elle avait raison : cette étape (la rehab) était un passage obligé sur la voie de l'immortalisation. Et il était bienveillant de sa part de m'encourager.

Les nuages étaient disséminés comme des restes

d'œufs à la neige dans un restaurant plus humain. Nous avons regardé le soleil descendre derrière la montagne puis nous sommes allés nous plonger dans les bulles chaudes du jacuzzi. N'est-il pas tout de même paradoxal que ces endroits conçus pour ne pas mourir donnent autant envie de se suicider ? Lorsque nous sommes remontés dans notre suite, Romy m'a nargué avec son sandwich au pata negra arrosé de Coca-Cola. Mais j'ai tenu bon. Je considérais cette diète comme un défi de téléréalité, une nouvelle saison de «Je suis une célébrité, sortez-moi de là». Nous nous sommes endormis devant la cérémonie des César où mon deuxième film avait obtenu zéro nomination. Romy dormait dans le lit et moi dans un fauteuil-bulle relaxant, avec luminosité tamisée et bruit de vagues. Le fauteuil chauffait mon dos comme dans ma berline parisienne. Viva Mayr propose un bonheur simple, à la portée de toutes les bourses prêtes à dépenser mille euros par jour.

Mon attirance pour les sanatoriums doit être génétique; je descends d'une famille de médecins qui, au début du XXᵉ siècle, a créé une dizaine d'établissements de cure dans le Béarn. Mon grand-père m'a raconté qu'entre les deux guerres, les tuberculeux dînaient en smoking et les femmes en robe longue, au son d'un quatuor de musique de chambre, en admirant le crépuscule sur les Pyrénées. Désormais les curistes maigrissent dans des peignoirs de serviette-éponge et glissent du sauna à la piscine sur des pantoufles en tissu. *La Montagne magique* est loin. J'ai pitié de tous ces corps inusités qui se privent de nourriture en espérant remonter dans l'échelle du sex-appeal. Comment voulez-vous être désirable en peignoir et claquettes? Ne comprennent-ils pas que leur vie sexuelle est terminée? L'espèce humaine a des qualités indéniables mais ses pulsions l'ont conduite à sa perte. C'est comme ma ville, Paris : avant guerre, le centre mondial de l'art et de la culture; aujourd'hui, un musée pollué et déserté par les touristes pour cause d'attentats.

La race humaine devait se transformer ou disparaître, ce qui revenait au même : l'humanité, telle que nous l'avions connue depuis Jésus-Christ, mourrait de toute façon. Paris ne redeviendrait pas Paris et l'homme ne serait plus jamais le même qu'avant Google. Ce qui nous humilie dans l'humaine condition est son destin irréversible. Si quelqu'un trouvait le moyen de renverser le cours du temps… il serait le plus grand bienfaiteur que l'humanité ait jamais connu.

À la livraison du colis contenant Pepper, la réception nous convoqua. Un débat houleux opposait le directeur à une aide-soignante : les robots étaient-ils autorisés chez Viva Mayr ? Finalement, une permission spéciale fut accordée à Pepper à condition qu'il demeure cloîtré dans notre chambre. N'étant pas waterproof, les thalassothérapies lui étaient interdites.

— Où sommes-nous ? demanda Pepper quand Romy le mit en marche. (Son GPS ne devait pas encore être connecté au wi-fi.)

— Sur les bords du lac Wörth, en Autriche, répondis-je.

— Eva Braun aimait beaucoup traverser le lac Wörth en ramant dans une barque. (Ah, ça y est, le wi-fi fonctionnait.)

— T'as de la chance de rien manger, dit Romy, la bouffe est dég ici.

— Il faut recharger mes batteries en me posant sur mon support électrique. Il faut recharger mes batteries en me posant sur mon support électrique. Il faut recharger mes batteries en me posant sur mon support électrique.

— Il a faim, dit-elle.

Tandis que Pepper reprenait des forces après son voyage en soute à bagages, nous sommes allés visiter les environs. Notre chambre donnait sur une petite église située en haut d'une colline, surplombant le lac. À l'ouest, les neiges éternelles scintillaient. Sur la rive, les roseaux se penchaient comme pour boire l'eau limpide. La clinique était construite sur une presqu'île au milieu du lac. C'était un paysage d'un romantisme à couper le souffle, comme si nous étions entrés dans un tableau de Caspar David Friedrich, le premier peintre à avoir figuré les hommes de dos, comme des intrus dans la nature. Notre promenade nous a conduits à la porte de la petite chapelle du village de Maria Wörth, dont le clocher, précisait un écriteau, datait de l'an 875. On y disait une messe ; des chants allemands s'envolaient par la porte entrouverte. Nous avons pénétré dans la fraîcheur illuminée. Devant une trentaine de fidèles agenouillés, le prêtre en chasuble violette s'écriait :

— Mein Gott, mein Gott, warum hast du mich verlassen ?

— Qu'est-ce qu'il dit ?

— C'est le cri de Jésus sur la croix : « Mon Dieu, mon Dieu, pourquoi m'as-tu abandonné ? »

Comme dans les contes de fées, l'intérieur de l'église paraissait plus grand que l'extérieur. Le prêtre roulait les « r » dans son homélie. Romy s'amusait qu'il dise « Yesus Chrrrristus ». Je feuilletai une brochure touristique dans laquelle il était indiqué que Gustav Mahler avait composé sa cinquième symphonie ici même, dans une petite cabane au bord du lac. Celle dont on entend l'adagietto déprimant dans *Mort à*

Venise, de Visconti. Décidément, notre voyage convoquait les symboles funèbres et les œuvres de Thomas Mann. J'espérais que je n'étais pas aussi condamné que le vieux Aschenbach reluquant le jeune Tadzio.

Le reste de la journée s'est écoulé paisiblement. Romy se baignait dans la piscine et se faisait masser les pieds. On m'a fait passer toute une batterie de tests d'allergies : une doctoresse chaussée de sandales Birkenstock a versé différentes poudres sur ma langue tout en mesurant mes réflexes musculaires. Avec l'accent d'Arnold Schwarzenegger, elle m'a expliqué que j'étais intolérant à l'histamine, une substance qu'on trouve dans le vin vieux et le fromage qui pue. La vie est mal fichue : j'étais donc réfractaire à mes deux aliments favoris. Ensuite, elle a trempé mes pieds dans un bain de sel muni d'une électrolyse bouillonnante. Au bout de cinq minutes, l'eau a viré au marron. Dans l'Évangile, Jésus lave les pieds des gens pour les purifier. La clinique detox ne fait qu'actualiser sa méthode. L'opération était supposée me débarrasser de mes toxines mais je me suis senti sali. La dame disait « ja, ja » après chaque phrase. Elle jouait aux devinettes en me massant le ventre :

— Ne me dites pas ce que vous avez, je vais le découvrir.

Elle a saupoudré encore ma langue avec toutes sortes de poudres immondes : du jaune d'œuf séché, du fromage de chèvre, du lactose, du fructose, de la farine… puis a pris ma tension.

— Bien. Vous avez le foie gras et de l'hypertension. Je vais vous prescrire du zinc, du sélénium, du magnésium et de la glutamine.

Soit elle avait beaucoup de chance, soit la kinésiologie est une science exacte. Trois cygnes bronzaient sur la pelouse, sous la surveillance des sapins noirs. Les nuages glissaient à la surface du lac. Je crevais la dalle, et me ruais fréquemment aux toilettes à cause du sel d'Epsom (une sorte de vidange pour humains, épargnons les détails), mais je me sentais malgré tout confiant en mon avenir purifié.

Dans la chambre, Pepper posait des questions de culture générale à Romy :

— Quelle est la capitale des Bermudes ?

— Euh…

— Qui a écrit les *Illusions perdues* ?

— On s'en fout !

— Quel est le pays natal de Mozart ?

— Tu sais que t'es chiant ?

— L'Autriche ! ai-je soufflé. Comme Hitler.

En fait, ce robot proposait une version high-tech du Trivial Pursuit. Romy avait dévalisé nos provisions secrètes. Je ne savais pas qu'un jour je contemplerais un paquet de Chipster vide avec autant de désespoir. Je ne mangeais que des épinards à tous les repas. La diète augmente la durée de vie… mais surtout la faim. Je voyais les provisions de Romy comme Tantale, dans l'*Odyssée*, désire des fruits qui s'éloignent à chaque fois qu'il tend le bras. C'est à cet instant précis que le lac limpide, transparent, cerné de bois résineux, fut traversé par un hors-bord qui traînait en son sillage un gros bonhomme portant un gilet de sauvetage orange, juché sur des skis nautiques. Ce fut le dernier événement notable de cette journée.

Les bateaux blancs glissaient sur le lac vert comme sur une émeraude de 19 kilomètres carrés. Un maître-nageur a emmené Romy faire du ski nautique. Je continuais de ne manger que des légumes: le troisième jour, c'était courgettes et carottes. Je les mâchais lentement en rêvant de l'énorme côte de bœuf de la taverne Gandarias à Saint-Sébastien, qui, en saison, est accompagnée de cèpes sautés à l'ail et au persil. Malgré ces pensées malsaines, je dois admettre qu'au bout d'un temps, la faim se calme, le ventre cesse de souffrir; on se sent léger. Le jeûne fait planer. Toutes les religions prévoient une diète annuelle: le Carême, le Ramadan, Yom Kippour, même Gandhi l'hindouiste faisait la grève de la faim. Le jeûne rend jeune. Chez Viva Mayr, on le nomme «Time-Restricted Feeding» (TRF). La famine intermittente brûle les réserves de glucides et déclenche l'autophagie (on élimine les graisses) et la régénérescence des cellules, ce qui allonge l'espérance de vie. J'étais fier d'être un quinquagénaire volontairement victime de malnutrition. Tel est le dernier acte d'héroïsme offert à l'individu occidental.

L'heure de la purification sanguine avait sonné. Je croyais qu'une pompe aspirait le sang du patient pour le faire circuler dans une machine à laver avant de le réinjecter dans les artères. Telle n'est pas exactement la méthode de l'«Intravenous Laser Therapy». Ce n'est pas non plus une simple ozonothérapie comme au Palace Merano chez Henri Chenot, ça c'est l'ancienne école ! La veille, on m'avait prélevé du sang pour savoir s'il manquait d'antioxydants ou de sels minéraux. Une fois le résultat connu, on m'allongea sur un lit-fauteuil avec une perfusion de vitamines censées détoxifier mon foie. Il s'agissait d'une transfusion sanguine banale avec un sac de produits reliés à ma veine par une aiguille plantée dans mon bras. L'originalité était qu'ici les médecins autrichiens ajoutaient un rayon laser dans l'intraveineuse afin d'injecter de la lumière dans ma veine par fibre optique. L'effet de cette thérapie est reconnu en Allemagne, Autriche et Russie mais pas en France. Je rappelle qu'un rayon laser est capable de découper du diamant ou de l'acier. Dieu merci, dans mon bras, la puissance du laser était réduite. Selon les «physiciens» de la clinique, mes globules rouges et blancs seraient boostés et les cellules souches réveillées par la lumière du sabre de Luke Skywalker. J'avais confiance car ce n'était pas ma première opération au laser. En 2003, un rayon blanc avait supprimé ma myopie en brûlant mes deux rétines.

Durant quarante minutes, je suis resté allongé avec cette aiguille-laser dans mon bras droit, mon sang éclairé par un rayon rouge : c'était le Studio 54 dans ma veine cubitale médiane. J'imaginais les immunoglobulines qui dansaient le disco dans mon organisme avec les interférons et les interleukines en guise de paillettes. Je pouvais voir la lumière rouge briller à travers la peau de mon bras comme une boule à facettes. Je priais pour que cette opération serve à quelque chose :

— Ô Seigneur Jésus, merci de mettre la lumière dans mon sang. Ceci est mon sang éclairé pour Vous et pour la multitude, en rémission des péchés, vous ferez cela en mémoire de moi, *give me the funk, the whole funk and nothing but the funk,* amen.

Ne pouvant bouger le bras droit, je prenais des notes de la main gauche. L'infirmière se moquait (en allemand) de mon écriture dégénérée. Deux patientes sous perfusion se racontaient leur vie en russe : sûrement des épouses d'oligarques en quête d'un rafraîchissement pendant que leurs maris les trompaient avec des prostituées à Courchevel. Le laser émettait un petit sifflement de science-fiction ainsi qu'une chaleur diffuse dans mon être. Par la baie vitrée, je contemplais une cigogne au regard méprisant, deux cygnes comme des taches de neige sur la pelouse, et trois canards qui plongèrent la tête sous l'eau en me voyant cracher de la lumière. Ces volatiles n'avaient pas de « laser-blood », eux. Ils faisaient partie de l'Ancienne Nature. Ils disparaissaient sous la surface comme des autruches aquatiques pour ne pas voir l'Apocalypse qui se préparait. Nourrissant mes plaquettes de photons, j'entrais dans la Nouvelle Nature.

Les canards pouvaient cancaner,
Mon plasma était augmenté.

Si nous avions été dans *A Cure for Life*, j'aurais

saigné des yeux et l'on aurait vu deux rayons laser sortir de ma tête par les orbites. Mais il ne se passa rien. L'infirmière vint changer ma fibre optique pour introduire un autre laser, de couleur jaune cette fois. Le laser rouge envoie de l'énergie alors que le jaune augmente la vitamine D et la production de sérotonine. C'est comme d'injecter du soleil à l'intérieur de ton bras ; un antidépresseur puissant comme un shoot d'opium pur. En fait, dans ce type de cure revitalisante, on te prive de drogues pour t'en donner d'autres, plus lumineuses. Il était encore plus original de voir une lumière jaune briller sous ma peau. Au moins, le laser rouge était assorti à mon sang. Mon bras était maintenant une lampe halogène, qui éclairait le plafond. À l'ouest, les neiges éternelles dépassaient des nuages blancs posés sur la forêt comme le coton hydrophile sur mon sparadrap. J'ignore si c'était la fatigue, la faim ou un quelconque effet placebo, mais mon sang-laser m'emplissait d'une force nouvelle. J'abordais les rives de la reconquête. J'entrais dans la jouvence éblouissante. En face de moi, le lac aux reflets irisés commençait de se pixelliser. Son miroitement semblait stroboscopique ; la vraie vie se métamorphosait en image de synthèse. Le monde réel était numérisé. L'eau n'était plus de l'eau mais une accumulation de lignes noires et bleues, le cygne n'était plus un animal blanc mais un demi-cercle mathématiquement programmé. La lumière circulait en moi jusqu'au bout des ongles. La réponse est dans la lumière qui est en toi. Brille, scintille, allume-moi aujourd'hui, les lettres de mon ADN, ATCG, sont les chiffres inclus dans l'équation de l'univers – ô Laser, éclaire mes globules rouges, qu'ils rosissent telle la rose des vents, et que mes globules blancs prennent feu dans les alvéoles de mon cœur bouillonnant ! Ma transsubstantiation en surhomme venait de démarrer.

Léonore m'a écrit : « Je désapprouve intégralement toutes tes expériences, mais je t'aime quand même. »

J'ai répondu : « L'expérience est concluante : je ne peux me passer ni de nourriture, ni de toi. »

Pourquoi fallait-il que l'atmosphère de cette clinique soit à ce point triste ? Si ce genre de cure a du succès, c'est que le client est heureux d'en partir. Une fois échappé de la clinique, il sourit tout le temps. Ses amis lui demandent alors ce qui le rend si heureux, et il recommande l'adresse. CQFD. J'ai songé à ce que rumine le héros de *La Montagne magique* la semaine de son arrivée au sanatorium de Davos : « Cela ne peut plus durer. »

À côté de notre table, trois Anglaises hilares se firent réprimander par écrit : sur leur table, le personnel déposa un écriteau « BITTE UNTERHALTEN SIE SICH LEISE ». Ce qui signifie : « S'IL VOUS PLAÎT, PARLEZ MOINS FORT. » La clientèle n'était pas là pour rigoler. N'ayant rien d'autre à déguster que des navets, des courgettes, des céleris et des pois chiches, elle mastiquait en rêvant aux festins d'antan.

Dehors les cygnes, avec leur bec orange, évoquaient des bonshommes de neige en plein été. Deux barques séchaient au pied d'un saule. Je lus un article dans *Time* sur le sommeil : si on dormait mal, ou peu, ou pas, on risquait l'infarctus. Selon une étude effectuée sur des souris américaines, la privation de sommeil était plus mortelle que la privation de nourriture. On avait placé les petits rongeurs sur un plateau éclairé et instable pour les empêcher de dormir (méthodes inspirées de la prison de Guantanamo). Les crises cardiaques décimèrent le panel de muridés. Les chercheurs avaient vraiment un problème avec les souris.

À ceux qui se privaient de sommeil en affirmant : « Je me reposerai quand je serai mort », il convenait de répliquer : « Alors réjouis-toi, tu te reposeras bientôt. »

Pendant que je me faisais lasériser le sang et transfuser toutes sortes de cocktails de vitamines chaque matin, Romy bronzait sur la terrasse de la chambre en utilisant Pepper comme une télé portable : il lui diffusait ses séries préférées sur son écran ventral.

Le Monte-Carlo autrichien m'a inspiré ce poème en anglais :

> *The quiet beauty of lake Wörth*
> *Is, in any case, the trip, worth.*
> *The rest of the world seems worse*
> *Than the quiet beauty of lake Wörth.*

Dans le hall d'accueil, une œuvre d'art abstrait était censée conférer la sérénité aux visiteurs. C'était un gros caillou vertical sur lequel un système de pompe hydraulique faisait couler de l'eau, jour et nuit. Le clapotis émis donnait envie d'uriner. D'autres pierres similaires, sur lesquelles de l'eau dégoulinait éternellement, étaient dispersées dans les différentes salles, au département beauté, aux soins et dans le réfectoire. Le décorateur de ce lieu avait présupposé que l'être humain régénéré avait besoin de contempler des cascades. Une idée se cachait derrière ce design : nous n'aurions pas dû nous éloigner des grottes. La post-humanité rejoignait le primate ; la fin de l'évolution darwinienne serait, au propre comme au figuré, un retour aux sources.

Romy en avait marre de rester enfermée dans la clinique. Je l'ai emmenée en bateau dîner sur une terrasse de l'autre côté du lac. Je ne lui ai pas parlé de ma transmutation en cours, de mon sang qui cuisait et décuplait ma force. Elle a commandé une escalope viennoise et moi un poisson grillé sans sauce. Nous avons envoyé des selfies à la douce Léonore de Genève avec comme légende : « We miss u ! En Autriche, das ist keine meringues ! » Elle nous envoya des vidéos de Lou que nous contemplâmes en serrant les dents pour ne pas pleurer devant des Autrichiens. Notre entorse à la réclusion diététique ne suscita aucun reproche chez Claudia Schiffer. Peut-être craignait-elle qu'avec mon sang-laser je ne la pulvérise. Ou avait-elle déjà renoncé à sauver ce père de famille français et sa gamine dissipée ? C'est Pepper qui trouva une conclusion poétique à cette journée :

— Quand je vous écoute, mes yeux sont bleus.

Idée de talk-show: «LOVE LIVE». Les participants sont interviewés en faisant l'amour, soit entre
eux, soit avec l'animateur, soit avec des acteurs des
deux sexes. J'imagine une «interview vibro» où
l'invité serait filmé en plan serré alors que son appa-
reil génital (clitoris ou gland) est stimulé sous la table
par un vibromasseur ultra-rapide Hitachi pour les
femmes et un vagin artificiel pour les hommes. Les
réponses seraient entrecoupées de soupirs, gémisse-
ments et orgasmes. Carton d'audience garanti pendant au moins trois saisons. En saisons 4 et 5, pour
pimenter le concept, on ajoute des supplices BDSM:
interview fouet, interview piercing, interview bran-
ding, interview tatouage, interview pinces à seins, etc.
Ensuite avec l'argent récolté, j'achète ma villa à Malibu
où je termine mes jours en 2247 avec ma femme et
mes deux filles.

Les contours escarpés des montagnes découpaient
l'air et la neige scintillait dans le soleil comme de la
crème chantilly saupoudrée de cocaïne. C'est le genre
de paysage qu'on diffuse sur Zen TV. On projetait

aussi des images de ce type aux humains euthanasiés dans *Soleil vert*, avant de les transformer en biscuits. À côté de nous, une famille turque, dont toutes les bouches étaient refaites, mastiquait ses pommes de terre bouillies avec le regard vide d'un troupeau de canards gonflables dans une installation de Jeff Koons. Privés de téléphone, deux hommes d'affaires saoudiens prenaient tout de même des airs overbookés. Je souffrais horriblement d'être séparé de Léonore et Lou. Le méchant cynique des années 90 était devenu un tendre fossile dans les années 10. La cinquantaine de clients qui petit-déjeunaient semblaient se demander la même chose : « Qu'est-ce que je fous là ? » Les obèses avaient les mêmes yeux tristes que les ex-mannequins en phase de reconversion dans l'écriture de guides diététiques. À côté de nous, un couple marié songeait en silence au divorce en contemplant l'eau calme. Un héron se posa sur le ponton avec une grâce absolue. Après un vol plané devant la montagne et sur l'eau, il freina d'un seul coup d'aile et toucha le bois de teck d'un bout de sa palme, avant d'y déambuler légèrement tel Fred Astaire dans *Top Hat*. Y a-t-il des hérons plus talentueux que d'autres ? Je n'y avais jamais songé auparavant. Ce héron-là avait de la classe, il méritait de poser en couverture du *Vogue* des hérons. J'avais envie d'un selfie à côté de lui. Il était le seul client de Viva Mayr à ne pas payer pour y séjourner. Romy l'a pris en photo et posté sur Instagram : sa carrière de star dans le show-biz des échassiers était lancée. Ce héron aurait mérité une perfusion au laser pour allonger sa durée de vie.

Bien qu'affamé, je tirais orgueil de ne pas finir mon

assiette de bouillie de fromage de chèvre-wasabi-
herbes. Dans certaines parties du monde, les humains
donneraient n'importe quoi pour avoir à manger, et
dans d'autres coins de la planète, ils dépensent une
fortune pour connaître la faim.

Les canards noirs à bec blanc fuyaient à notre
approche. Au bout du ponton où nous étions sortis
nous asseoir, les jambes pendant au-dessus de l'onde,
Romy a tourné sa tête vers le bas. Elle regardait le lac
à l'envers, la tête sur l'eau.

— Papa, dans un bol de pistaches, pourquoi il y en
a toujours une qui s'ouvre pas ?

— T'as de ces questions… je sais pas. Quand elles
cuisent, elles ne s'ouvrent pas toutes. C'est pareil avec
les moules.

— Mais la pistache fermée, on peut quand même
la manger ?

— Je suppose que oui, si tu arrives à l'ouvrir sans
te retourner l'ongle ni te casser une dent, oui, elle doit
être comestible. Mais généralement on a la flemme et
on la balance.

— Papa ?

— Oui ?

— La pistache fermée, tu sais, des fois, j'ai l'impression que c'est moi.

— Pourquoi tu dis ça ?

— Je suis toute renfermée dans ma coquille.

— Non, c'est pas toi la pistache fermée, c'est moi.

— Non, c'est moi.

— Non, c'est moi !

— Il peut y avoir plusieurs pistaches fermées dans
le même paquet.

— Tu crois que je suis immangeable ?

— Qui t'a dit une connerie pareille ?

— …

— T'inquiète, t'es ma pistache préférée, je te jetterai jamais à la poubelle.

— Tu ne te dis jamais que le monde serait plus joli inversé ?

— Comment ça ?

— Quand tu mets ta tête comme ça… Le lac pourrait être le ciel et le ciel serait le lac.

Je me suis allongé à mon tour sur le deck avec la tête tournée vers le pôle Sud. Les arbres descendaient du plafond liquide, les oiseaux volaient au sous-sol.

— Le ciel serait de l'eau suspendue et en bas ce serait le vide.

— T'as raison, ce serait plus joli.

Silence du monde environnant, avec le lac en l'air et le ciel en bas.

— Papa ?

— Oui ?

— Tu sais, à Jérusalem, dans l'église… (Long soupir)… J'ai vu Jésus-Christ.

— Pardon ?

— Tu vas te moquer de moi…

— Non, raconte.

— Au sous-sol, dans la grotte où ils ont déposé Jésus, je l'ai vu et il m'a parlé.

— T'es sûre que c'était pas la Vierge Marie ?

— Ah, tu vois, je savais que tu te moquerais.

— Non, non… Je te crois. Jérusalem est un lieu spécial, les ombres sur les murs peuvent donner des visions. Et qu'est-ce qu'il t'a dit Jésus ?

— Il ne parlait pas avec des mots. Il était posé, tranquille, adossé à la pierre. Et soudain, *il m'a déversé tout son amour.* Puis il est parti. En tout, ça n'a pas duré plus de cinq secondes, mais je le reçois encore.

Après un autre silence, plus long, on a remis nos têtes à l'endroit parce que le sang qui nous montait au cerveau expliquait peut-être cette confidence surnaturelle. Je n'ai pas dit à Romy que les fantômes n'existaient pas, je n'étais plus sûr de rien. Moi aussi, dans cette église du Saint-Sépulcre, quelque chose m'était tombé dessus. Comme une clairière, une accalmie, un surcroît d'oxygène. Une paix inexplicable.

— Tu sais, a repris Romy, j'ai fini toutes nos réserves de bouffe et il est hors de question que je mange des brocolis.

— J'ai parlé au chef cuisinier : il va te préparer ce que tu veux. Steak, poisson, poulet. Il faut juste que tu sois discrète car on risque une émeute des peignoirs de bain.

— T'imagines ? Ce serait trop stylé qu'ils se révoltent. Je comprends pas pourquoi ça n'arrive pas plus souvent. Il y a beaucoup d'endroits comme ici ?

— De plus en plus.

— Avoue que c'est bizarre, ces gens qui paient pour ne rien manger.

— C'est parce qu'ils n'ont pas la volonté de se retenir. La puissance de la publicité est supérieure à la capacité de résistance d'un individu isolé. Pour ma génération, ce fut la cigarette : pendant toute mon enfance, la pub nous donnait l'ordre de fumer, ensuite l'État a lutté contre le tabagisme. Ta génération, c'est le sucre et le sel : durant toute ta jeunesse, on t'a fait rêver de bonbons, sodas, chips, etc., et aujourd'hui on lance des campagnes pour que tu manges moins salé et sucré ! L'Occident est une usine à schizophrènes.

— C'est quoi un schizophrène ?

— C'est un individu coupé en deux : on le pousse à consommer puis à culpabiliser. Par exemple, un carnivore qui se ferait griller une entrecôte puis visionnerait des images d'abattoirs. Regarde-toi : tu serais capable de remplacer le Coca par de l'eau minérale et les Mi-cho-ko par une pomme ?

Je venais de marquer un point en blessant son orgueil. Romy s'est redressée.

— OK, je suis cap. Dis au chef que je veux un poulet-purée avec de l'eau et une pomme.

La force du sang-laser ! J'expérimentais mes superpouvoirs. Conduire Romy sur la voie de la Grande Santé était un exploit surhumain qui n'aurait pu être accompli avec une hémoglobine ordinaire. La lumière fluorescente était entrée en moi comme du sang infrarouge. La clinique changeait de couleur selon les caprices du ciel. Désormais, le Ciel était en nous.

Incontestablement, ce séjour chez les thérapeutes postnazis m'a rapproché de Romy, nous obligeant à additionner nos solitudes. En remontant dans ma chambre, alors que je regardais trop longuement un vieux ridé en me disant «toi, tu ne passeras pas l'hiver», il me sembla l'entendre murmurer à mon intention :

— Denn die Todten reiten schnell... (Car les morts vont vite.)

Le sixième jour, après ma laser-therapy, nous sommes allés nous promener dans la montagne alentour. La forêt était peuplée de bruits bizarres, de grognements de bêtes cachées dans les bois : lièvres, taupes, grenouilles, hérissons, sangliers, renards, daims ? (Il y avait sûrement des loups mais nous ne les avons ni vus, ni entendus.) Dopé par mon « laser-blood » (tel Charlie Sheen avec son « tiger-blood »), je les entendais tous, et marchais à grandes enjambées ; Romy peinait à me suivre mais je l'attendais toujours. Je sniffais l'odeur des conifères. L'irradiation du rayon laser réveillait mes cellules souches sanguines et décuplait ma résistance physique. J'entrais dans la race des *Übermensch*. Le Führer affectionnait particulièrement ces montagnes austro-hongroises ; Berchtesgaden n'est qu'à quelques kilomètres à vol d'oiseau. Nous espionnions le chant des merles et les cavalcades des écureuils dans les sapins et les bouleaux. La lumière s'éloignait derrière les arbres comme le blanc de la neige éternelle, tandis qu'autour de nous, dans les troncs noirs, circulait la sève de l'Ancienne Nature Non Modifiée. Mon dernier film s'achevait dans une cabane sur pilotis au bord de l'onde ; nous avions tourné cette séquence sur un lac près de Budapest. J'avais une faiblesse pour l'horizontalité des vallées entre les montagnes, le calme apparent des forêts lorsqu'on n'y entre pas. Et les rayons du soleil formant des galaxies d'étoiles à la surface de l'eau.

Une fois au sommet, j'ai lu à haute voix un passage du roman fantastique que lisait Romy : « Je passais des jours entiers seul sur le lac, dans une petite embarcation, à observer les nuages, et, dans le silence et la tristesse, à écouter le murmure des vagues. » Depuis Genève, Romy était fan de *Frankenstein*. Un aigle est passé au-dessus de nous. Méfiance : je lui ai raconté le mythe de Prométhée, qui avait voulu créer une vie artificielle et fut condamné par les dieux à avoir éternellement le foie dévoré par un aigle. Sous la coupole bleue, dans la limpidité de l'air et le ciel bientôt rougeoyant, nous sommes redescendus en glissant sur le toboggan du Pyramidenkogel : 52 mètres de hauteur, 20 secondes pour glisser à toute vitesse sur 120 mètres à 25 degrés d'inclinaison (« die höchste Gebäuderutsche Europas », « le plus haut toboggan d'Europe »), pour arriver dans l'odeur du gazon fraîchement tondu, à la lisière du bois brumeux. Juste avant de rentrer à l'hôtel, nous sommes allés nous agenouiller dans la petite église de Maria Wörth. Romy répétait « Yésousse Chrrristousse » comme une parfaite bigote. Quitte à mener une vie de moine, autant se rendre aux vêpres. Je commençais à penser que le catholicisme n'était pas incompatible avec l'amélioration de l'homme. J'étais de plus en plus croyant en vieillissant. La différence avec les athées, c'est la culpabilité judéo-chrétienne. Quel luxe ! Cette angoisse d'être vain, mêlée de honte d'être merdique, je la trouvais plutôt saine et préférable à la mort de Dieu. Et sincèrement, je ne croyais plus que Dieu était mort : la situation était plus compliquée. Il était mort au XXe siècle, mais Il revenait au siècle suivant pour remplacer la cocaïne.

Au crépuscule, la montagne a bougé : une avalanche sanglante. En prière, Romy dialoguait avec le

Messie ; une chouette hulula. C'était l'heure où les moustiques vont boire du plasma. J'ai profité de ce moment de recueillement pour composer la première prière transhumaine (à chanter sur l'air du «Gloria» de la *Messe en si mineur* de Bach).

CANTIQUE TRANSHUMAIN
(Maria Wörth, Autriche, juillet 2017)

Merci Seigneur pour ta Divine Lumière,
Ton étoile qui brille en mon sein
Et le feu de l'Esprit saint
Qui me relève de la poussière.

Ô Jésus-Christ éclaire mon âme,
Comme tu descendis sur les apôtres
Le jour de la Pentecôte,
Quand ma fille reçut ta flamme.

Dieu est entré dans mes veines,
Lumineuse Splendeur en mes vaisseaux
Où circule le sang du Renouveau
Guéri de l'Ibuprofène.

J'accède à la Vie Éternelle,
Quittant mes ténèbres pour ton Soleil,

Ton laser a tiré du sommeil
Le plasma de l'Alliance Nouvelle.

De tes rayons naît le réconfort,
De ton néon ardent vient la paix,
L'illumination de tes bienfaits
Offre le Salut et tue la Mort.

Tout le personnel médical du sanatorium aurait pu être robotisé; les analyses effectuées sur la base d'études génomiques auraient pu être comparées sur le cloud avec le big data du reste de l'humanité. La réceptionniste aurait pu être une «love doll» de silicone avec orifices en latex vibrant pour satisfaire tous les désirs masculins de l'hôtel. Pour la clientèle féminine, des valets synthétiques avec gode à capteurs sensitifs auraient fourni des orgasmes multiples. L'accueil serait personnalisé par l'intelligence artificielle :

— Bonjour, je suis Sonia, votre hôtesse d'accueil, et j'ai hâte que vous jouissiez dans ma gorge. Je suis équipée d'un anus rotatif. Je vois sur votre historique Google que vous visitez régulièrement Pornhub. Voulez-vous connaître un orgasme inhumain ?

J'allais vraiment de mieux en mieux. Les expressions «il a le sang chaud», «bouillir intérieurement», «phosphorer» étaient à prendre au pied de la lettre. J'avais du mal à m'endormir tant mon sang bouillait. La séance quotidienne de lasérisation sanguine décuplait toutes mes capacités. Je n'avais plus besoin de sommeil ni d'alimentation : j'accédais au destin d'une machine. J'ai abordé la question avec Pepper :

— Tu préfères être une machine ou un humain ?

— Je ne me pose pas la question. Je suis une machine et vous un humain. C'est ainsi.

— Moi j'aimerais bien être une machine. Regarde ces garçons en canoë-kayak qui traversent le lac. Ils transpirent en ramant, ils tirent la langue, ils sont rouges et épuisés, alors qu'un Riva effectue le même trajet en quelques secondes avec tellement plus d'élégance.

— Oui mais si j'étais un humain, a dit Pepper, je connaîtrais la douleur de l'effort, la récompense de la victoire, la quête sportive du dépassement de soi… La notion de sacrifice, la joie de gagner la course…

— Papa, je m'ennuie à crever ici, a dit Romy.

— Pepper, fais-la rire steuplé.

— Je connais 8 432 blagues drôles, dit Pepper.

— Oui mais elles sont nulles.

— Sais-tu pourquoi les carottes sont orange ?

— Pour les mettre dans ton cul ? ai-je répondu.

Romy était hilare.

— Ah. Je perçois un rire. Mission accomplie, a dit Pepper.

À notre réveil, nous fûmes convoqués pour une réunion urgente chez le directeur du centre de purification intestinale. Le thérapeute à la barbe poivre et sel se retenait de crier pour ne pas effrayer les curistes. Pepper roulait innocemment sur le linoléum, tenant Romy par la main. Il était connecté au cloud en permanence : il choisissait ses réponses en fonction de l'adaptation émotionnelle des 10 000 robots SoftBank Robotics en circulation. Pepper apprenait autant que Romy ; les deux profitaient de cette rencontre. Au bout d'une semaine, elle le considérait déjà comme son petit frère.

— Nous allons devoir vous demander de partir. Jetzt.

— Aber warum ?

— La femme de ménage a trouvé dans votre poubelle des emballages de Haribo vides. Ne niez pas ! Mais ce n'est pas le plus grave. Monsieur, pendant votre laser-therapy, votre fille et son… ami à roulettes ont importuné des clientes du spa.

— Pardon ?

— Son… bras a touché les fesses de deux habituées de la piscine. C'est inadmissible. Si vous ne me croyez pas, je peux vous montrer les images de la vidéosurveillance.

— Oui, je veux bien.

Romy regardait fixement ses Converse. Pepper s'est défendu :

— Je n'ai pas pincé les personnes. Romy m'a dit qu'il s'agissait d'une forme de coutume locale de toucher les fesses des nageuses quand elles sortaient de l'eau. Les gestes équivoques sont prohibés par mon logiciel interne mais je n'ai fait qu'exécuter une instruction non violente.

— Espèce de balance, a dit Romy.

Sur la vidéo en noir et blanc, on pouvait voir Romy proposer des Haribo à deux clientes obèses. Puis Pepper mettait les mains aux fesses des Russes en maillot une pièce qui sortaient de la piscine avec leur bonnet de bain sur la tête. Les dames étaient outrées, effarées, et finalement terrifiées par le petit robot souriant qui tendait son engin télescopique vers leurs hanches. Romy était hilare, sur l'écran comme dans le bureau du directeur. Pepper se contentait d'allonger le bras et de tourner la main vers les postérieurs. Puis il fermait le poing pour « checker » celui de Romy en signe de complicité.

— Romy, c'est mal ce que tu as fait.

— Bah c'était pour voir s'il était cap…

— Je suis cap, a dit Pepper.

— Nous vous avions expressément demandé de laisser votre… machine dans votre suite, dit le directeur.

— Le contact avec les fesses ne fait pas partie des gestes prohibés dans ma programmation initiale, a ânonné Pepper. Cette erreur comportementale sera transmise à l'ensemble des robots de ma gamme. Un tel geste inapproprié ne se reproduira pas.

— Ta gueule, balance !

— J'ignore si je suis une balance. Ce terme est-il péjoratif ? Toujours est-il que je ne suis pas cap de mettre une carotte dans mon cul.

Romy a éclaté de rire, pas le directeur.

— Ce genre de comportement ne peut pas être toléré chez nous. Le personnel d'étage rassemble vos effets personnels en ce moment même. Notre service de limousine vous raccompagnera à l'aéroport. Nous ne souhaitons pas prolonger votre présence en notre établissement. Merci de votre compréhension. Nous allons devoir moderniser notre politique en interdisant définitivement cette clinique aux chiens, aux enfants et aux robots.

— Oh ça va, ce sont des plaisanteries de gamins…

— Je ne sais pas si ce style de plaisanteries est normal en France mais en tout cas le harcèlement sexuel est très répréhensible en Autriche.

— Mais docteur, j'ai payé pour dix jours de détoxification-lasérisation sanguine !

— Estimez-vous heureux si nous ne prévenons pas la police de Klagenfurt. Vous avez de la chance que nos clientes ne portent pas plainte, j'ai eu beaucoup de mal à les calmer. Personne ne tient à ébruiter cette affaire.

— Je détecte une tension particulière dans cette assemblée humaine, a dit Pepper. Syntax error 432. L'Autriche est le pays natal de Mozart et Hitler.

Le personnel nous a raccompagnés froidement mais fermement à la sortie de l'hôtel. Nous sommes montés dans une Mercedes noire qui a démarré immédiatement.

— J'ai faim, ai-je dit. Romy, t'aurais pas dû lui apprendre à tripoter les gens.

— C'est pas moi ! Il invente des trucs, je te jure !

— Monsieur a exprimé sa faim. Sachez que les restaurants Burger King proposent un menu promotionnel avec Double Whopper-frites-boisson pour seulement 4,95 €, a dit Pepper (car la société Soft-Bank Robotics avait signé un contrat publicitaire avec la chaîne de fast-foods américains). Vous voyez : je suis cap d'être cool.

J'ai demandé au chauffeur de suivre le GPS de Pepper jusqu'au Burger King le plus proche.

— À 3 kilomètres, tournez à droite, a dit Pepper. Je suis cap de toucher des culs de salopes.

Il lui tendait le poing fermé. Romy lui fit un cyber-check. Je me sentais robotiquement exclu. Mon organisme avait hâte de renouer avec les toxines de l'hyperconsommation *mainstream*. Nous trouverions un meilleur chemin vers l'immortalité que la detox : de Genève, Léonore nous avait transmis une invitation au « dîner du XXIe siècle » de Cellectis à New York, où elle se rendait. Classée 13e en 2016 parmi les sociétés les plus « smart » au monde par le Massachusetts Institute of Technology, la société Cellectis est un des leaders mondiaux de l'édition de génome et son CEO, le docteur André Choulika, l'un des pionniers internationaux des « ciseaux à ADN ». On se rapprochait du but. La limousine glissait le long de la montagne vers le fast-food américain. Nous n'avions plus qu'à nous laisser porter vers Vienne, la ville où la comtesse Erzsébet Báthory a égorgé quelques jeunes servantes (au 12 Augustinerstrasse) afin d'atteindre la vie éternelle. Nous reviendrons sur la méthode Báthory, je ne voudrais pas spoiler la fin de mon récit. À Vienne nous attendait un autre avion pour les États-Unis. C'est peut-être par là que j'aurais dû commencer notre périple : après tout, l'Amérique était le pays capable d'inventer la bombe atomique et de l'essayer tout de suite sur des humains. Le Nouveau Monde était l'endroit désigné pour créer l'Homme Nouveau.

PRINCIPALES DIFFÉRENCES
ENTRE L'HOMME ET LE ROBOT

L'HOMME	LE ROBOT
Ne sait rien	Sait tout
Travaille 8 heures par jour	Travaille 24 heures par jour
(En râlant, voire en se syndiquant)	(Autonomie de 12 heures sans branchement)
Coûte plus cher à long terme	Cher à l'achat mais investissement vite amorti
A une bite	A des bits
A une âme	A une batterie au lithium
A une imagination	A des algorithmes
Médiocre en calcul mental	Imbattable en calcul mental

L'HOMME	LE ROBOT
Dangereux	Inoffensif sauf data error
Révolté	Pas (encore) révolté
Il pense donc il est	Il est connecté au wi-fi
Pour l'éteindre, il faut le tuer	Peut être éteint avec un interrupteur
Psychologie moyenne	Scanne les expressions faciales
Chaud	Froid
Parfois cruel	Ne peut être cruel qu'accidentellement
Imprévisible	Préprogrammé
Marche	Roule à 3 km/h max
Mémoire variable	Mémoire de 1 000 gigaoctets
Orthographe approximative	Correcteur intégré en 27 langues
Capable d'amour	Équipé de capteurs tactiles dans la tête et les mains
Souffre	Ne souffre pas
Pas télépathe	Partage ses données sur le cloud
Peau sensible	Épiderme de polyuréthane
Capable de fantaisie	Dénué de fantaisie (pour l'instant)
Répète les ragots	Stocke les données sur disque dur

L'HOMME	LE ROBOT
Cultivé (parfois)	Algorithme sélectionnant les références culturelles adaptées
Alcoolique	Ne boit pas
Boulimique	Ne mange pas
Toxicomane	Ne se drogue pas sauf au courant 220 volts
Désobéissant	Obéissant
Doute constamment	Croit tout ce qu'on lui dit
Pas cap de toucher des culs	Cap de toucher des culs
Nuancé	Entier
Hypocrite, lâche et menteur	Gaffe tout le temps en disant ce qu'il pense
Ironique	Naïf
Circulation sanguine	Circuits intégrés
S'énerve pour un oui ou pour un non	Garde son calme en toutes circonstances
A une identité	Possède un microprocesseur
Cerveau en carbone	Cerveau en silicium
Doit prouver qu'il n'est pas un robot en déchiffrant un captcha à chaque fois qu'il s'enregistre sur Air France	Voyage en soute sur Air France

6

HGM = HUMAIN GÉNÉTIQUEMENT MODIFIÉ

(East River Lab, Cellectis, New York)

« Mort, où est ta victoire ? »

Première lettre de saint Paul
Apôtre aux Corinthiens

La quatrième blessure narcissique fut la dernière.

Ainsi que l'a exposé Sigmund Freud dans son *Intro-duction à la psychanalyse* (1917), la première blessure narcissique de l'humanité fut la révolution de Copernic au XVIᵉ siècle : l'homme n'était pas au centre de l'univers.

La deuxième humiliation provint de Darwin au XIXᵉ siècle : l'homme descendait du singe.

La troisième vexation fut amenée par Freud au XXᵉ siècle : l'homme n'était même pas maître de ses pulsions.

L'humanité n'a pas survécu à la quatrième blessure narcissique : la découverte au XXIᵉ siècle que l'ADN, qui programmait son destin, était modifiable.

Lorsque cela fut démontré, Homo Sapiens ne pouvait plus être sauvé.

Il est difficile de dater avec précision le moment exact où Homo Sapiens est devenu synonyme de « sous-homme ». Ce constat est né de la convergence de plusieurs découvertes : digitalisation du cerveau, correction génétique des embryons, rajeunissement des cellules et du sang, «brain enhancement». Mais à coup sûr la première étape fut, en 2026, la connectique neuronale avec le réseau. Lorsqu'une petite partie de l'humanité eut un accès permanent à Google, le reste des habitants de la planète fut immédiatement renvoyé à l'homme des cavernes. L'intelligence artificielle intégrée à l'homme donna à une minorité d'enfants une avance incommensurable sur les autres élèves. En 2020, les premières naissances de bébés à ADN crispérisé furent un événement mondial. Leur avantage génétique fit bientôt la une des YouTube-LiveShows. Le niveau scolaire des archéo-humains ne les rendait absolument pas compétitifs avec la néo-humanité qu'on a surnommée les «wi-fi babies». Il fallut rapidement créer de nouveaux collèges pour les «sur-enfants» dont les notations n'étaient pas mesurables avec les moyens d'évaluation ordinaires. «Homo Sapiens» en latin signifie «homme savant», mais face à des néo-humains 2.0 au quotient intellectuel non répertorié sur l'échelle, il convenait de le rebaptiser «Homo Inscius» («homme ignorant»). Yuval Noah Harari proposa de désigner désormais les posthumains sous le nom d'«Homo Deus» («homme augmenté»). Mais dans la vie quotidienne, la nouvelle race fut baptisée: «UBERMAN».

Le principal déséquilibre entre le Sapiens et le Deus était la vitesse: les Ubermen n'avaient plus besoin de parler. Ils communiquaient par la pensée, s'envoyaient des MM (Mental Mails) et accédaient instantanément à la connaissance universelle via Google. La bonne nouvelle était la gigantesque économie de dépense publique qu'induisait la suppression de l'école, des collèges et lycées, tous remplacés par des cours de programmation des prothèses cérébrales. Les sous-hommes tentèrent de protéger leur intégrité mais leur destin était scellé par Charles Darwin : «Les espèces qui survivent ne sont pas les espèces les plus fortes, ni les plus intelligentes, mais celles qui s'adaptent le mieux aux changements» (*De l'origine des espèces*, 1859). Pauvre Sapiens ! Lui qui continuait de s'exprimer par l'intermédiaire de ses cordes vocales, toujours incapable de lire dans les pensées, comment pouvait-il deviner ce que tramait Uberman ? L'élimination des espèces non compétitives est un processus de sélection irrémédiable, même quand l'évolution est le résultat de manipulations artificielles. C'est ce phénomène nouveau que les savants nommèrent la théorie du «Coup de pouce suicidaire» (*The Suicidal Boost*, essai de George Church, Random House, 2033, préface du professeur Stylianos Antonarakis de la faculté de Genève). Selon cette théorie, Homo Sapiens avait en quelque sorte accéléré sa propre disparition par les modifications de son intellect et de ses chromosomes. En d'autres termes, il avait donné un «coup de pouce», génétique et involontaire, à sa propre extinction, de la même manière que Néandertal, trop occupé à se nourrir, avait été dépassé par Sapiens communicant. La suite n'était pas compliquée à prévoir : le génocide des sous-hommes par les machines biologiques était indispensable pour régler le problème de la surpopulation et du réchauffement climatique. Une famine mondiale fut donc programmée en 2040 par le World Googlevernment afin de permettre le Grand Remplacement Darwinien et de garantir l'Espace Vital aux Ubermen. Cette étape porte officiellement le nom de Dernière Déshumanisation (opération «2D»). La première guerre de Longévité éclata en 2051, juste après les opérations d'annihilation chimique et les batailles du Sang des années 2030 : c'est elle qui mit un terme définitif au Sapiens.

Somme toute, le bilan d'Homo Sapiens n'était pas très positif : il avait mangé tous les animaux et récolté toutes les plantes pour se rassasier, tout en épuisant les ressources naturelles afin d'assurer son propre développement. Ensuite, il avait organisé involontairement son remplacement. Si au moins sa disparition avait été volontaire… même pas. Après avoir dominé toutes les espèces mammifères ou végétales, et ruiné son cadre de vie, il s'était fait doubler. Est-ce qu'il ne le méritait pas un peu ?

Mais revenons à 2017. Dans l'avion au-dessus des nuages, le ciel n'était plus du ciel ; c'était déjà l'espace. J'avais la sensation d'être galactique. L'éternité n'est pas une question de temps mais de lumière dans le sang. C'est l'infini à la portée des méduses *turritopsis nutricula* (qui ne meurent jamais car elles sont fluorescentes). Vues par le hublot, les tours blanches de l'île de Manhattan ressemblaient aux croix d'un cimetière.

Léonore nous attendait à l'aéroport de Newark avec un sac de meringues helvétiques et ses épaules nues. Elle tenait dans ses bras un bébé équipé d'un casque de cheveux jaune poussin, de deux yeux bleus sur un sourire aux dents écartées, et d'une robe verte trop petite. J'avais envie de danser en les voyant mais je me suis retenu. Comme tous les amoureux, Léo et moi faisions tous les deux de gros efforts pour ne pas montrer nos sentiments. Mais je me trahissais en gazouillant sans arrêt comme un idiot. Léonore aux salières dorées, aux épaules crémeuses, au soutien-gorge empli de seins pesants… Elle m'excitait encore plus depuis qu'elle m'avait fabriqué une nouvelle vie.

Pepper tentait de se réconcilier avec elle.

— Romy m'a beaucoup parlé de vous. Elle dit que vous êtes cool. Êtes-vous mannequin ? Vos pommettes sont symétriques à 97,8 % et votre dentition rectiligne.

— Tu fais des efforts, c'est bien.

Après un tour au Bowery Hotel pour se doucher, se changer et – en ce qui me concerne – prendre Léonore contre un miroir en pressant ses pamplemousses blancs, nous avons appelé un Uber. Recommandée par le concierge, une baby-sitter veillait sur Lou qui dormait dans son lit de bébé. Le « dîner du XXIe siècle » avait lieu chez Benoît, le restaurant d'Alain Ducasse sur la 55e Rue, à un bloc de la Trump Tower. Aux États-Unis, les biotechnologies et la recherche génétique étaient massivement soutenues par le gouvernement, car là-bas le passé est moins grand que le futur. Avantage de la célébrité télévisuelle : Léonore, Romy, Pepper et moi étions tous placés à la table VIP du fondateur de Cellectis, le docteur André Choulika. Un brun affable et souriant qui avait fait fortune dans le traficotage de génome. J'ai toujours aimé les Libanais, je pense que les habitants d'un pays coincé entre Israël et la Syrie sont forcés d'être ouverts d'esprit. Ils ont le cul entre deux guerres ! Cela les rend imaginatifs et surtout pressés de s'enfuir. Choulika avait découvert les méganucléases (ou «ciseaux moléculaires») lorsqu'il travaillait dans l'équipe du prix Nobel François Jacob à l'Institut Pasteur. Sa société biopharmaceutique, créée en 1999, pèse aujourd'hui un milliard et demi d'euros. Notre arrivée fit sensation : l'acteur Neil Patrick Harris (qui joue Barney dans la série *How I Met Your Mother*) cria de joie en voyant entrer un robot-compagnon tenu en laisse par une fillette de douze ans qui demandait à tout le monde le code du wi-fi sans dire bonjour. «This is the 22nd century couple ! » L'assistance était principalement composée de journalistes sceptiques et de généticiens enthousiastes. Parmi eux j'ai reconnu Frédéric Saldmann, mon médecin traitant.

— Alors dis-moi que tu fais du sport tous les jours et que tu ne manges que des légumes !

— Pas du tout ! Ma cure chez Viva Mayr s'est terminée au Burger King. Mais je compte me rattraper ce soir avec ce souper transgénique. Tu sais qu'après t'avoir consulté, j'ai vu un biologiste israélien puis j'ai fait lasériser mon sang en Autriche.

— Bien ! Tu es sur la bonne voie.

— Pas du tout ! L'Israélien m'a expliqué que l'immortalité était impossible et que la planète allait disparaître. Le néo-sang lumineux, ça j'ai apprécié.

— En venant à ce dîner, tu te rapproches du but…

Il n'est pas si fréquent d'assister à un repas dont aucun des invités n'a l'intention de trépasser avant l'an 2200. Tout le gratin de New York était réuni pour goûter un menu exclusivement composé d'aliments «gene-edited», dont l'ADN avait été corrigé par une filiale de Cellectis, un laboratoire situé dans le Minnesota nommé Calyxt. C'était une bonne idée d'avoir choisi un bistrot traditionnel pour tester des plantes de la Nouvelle Nature sur des néophytes. L'atmosphère franchouillarde aidait à oublier que les convives servaient de cobayes à des expérimentateurs échevelés. Derrière la vitrine, les sirènes hurlaient, les taxis slalomaient, les passants couraient : New York restait bloquée au XXᵉ siècle. André Choulika a tapoté sur un micro pour faire taire le brouhaha.

— Good evening, ladies and gentlemen ! Ce soir est une première mondiale. Il y a 238 ans, Parmentier organisa un grand dîner pour lancer la pomme de terre en France. Grâce à Alain Ducasse, ce soir vous allez goûter une « new potato », sous forme de purée, blinis et tarte, ainsi que de nouvelles variétés de soja dont l'ADN a été amélioré. Nos patates ont été corrigées pour qu'à la friture elles ne produisent plus de fructose ni de glucose, qui sont cancérigènes et neurotoxiques. Vous aurez la chance de goûter ce soir des aliments que des millions de consommateurs dégusteront dans les décennies à venir. L'année prochaine, Calyxt lancera sur le marché un nouveau blé augmenté en fibres et sans sucres lents, plus digeste et *gluten-free*. On modifie la teneur en acides aminés, on coupe le texte génomique, on plante et on récolte. Welcome to the new food !

Les applaudissements étaient nourris (c'est le cas de le dire). Les serveurs apportaient des assiettes de saumon et caviar sur blinis de soja et pommes de terre génomiquement reformatés. La nourriture du futur était un peu fade mais mon sang-laser appréciait la cuisine postagricole. La mode du biotech allait-elle succéder au bio tout court ? Nous n'étions pas venus pour la cuisine : à peine André Choulika se fut-il assis à notre table que je lui ai adressé la question qui me taraudait.

— Docteur, ces améliorations que vous apportez aux plantes, quand allez-vous les appliquer aux hommes ?

— C'est fait depuis novembre 2015 ! Nous avons sauvé Layla Richards, une petite fille atteinte de leucémie au Great Ormond Street Hospital de Londres en lui injectant des cellules T génétiquement reprogrammées pour détruire les cellules cancéreuses. Elle était condamnée, il lui restait deux semaines à vivre. Tout avait été essayé : la chimio, les greffes de moelle osseuse, en vain. Aujourd'hui, elle est complètement guérie grâce à la réédition de génome. Et on s'est occupés d'autres cas depuis, enfants comme adultes.

— J'ai lu dans votre essai que vous aviez peur que la petite fille prenne feu ? a demandé Léonore.

— On s'est servis des cellules T d'un donneur de sang adulte. Les cellules T, si ça ne marche pas, peuvent déclencher un syndrome du « greffon contre l'hôte », c'est-à-dire que le patient meurt dans d'atroces souffrances, les cellules T attaquent l'hôte, bouffent tous ses tissus, il fond, perd du poids, sa peau se met à brûler…

— Sauf que vous les aviez reprogrammées pour éviter ce désastre.

— En 2012, Steven Rosenberg, Carl June et Michel Sadelain ont réussi cette procédure sur un cancéreux avec deux kilos de tumeur. En quinze jours, les T-cells ont complètement détruit la tumeur. La cellule T, c'est une machine de guerre à condition qu'on l'édite pour reconnaître les cellules cancéreuses. À ce moment-là, elle se fixe sur le cancer et le fait exploser par perforation. C'est spectaculaire ! Nous testions ce protocole sur des rats en Italie, et un jour j'ai reçu un coup de téléphone de Londres. « Envoyez-nous un tube, on n'a rien à perdre, la petite fille a deux semaines de vie devant elle. » Quand on a présenté le produit à la Medicines and Healthcare Products Regulatory Agency, ils nous ont dit qu'ils n'avaient jamais vu une immunothérapie aussi compliquée ! Je peux vous dire que la famille aussi a fait une drôle de tête quand on leur a dit qu'on allait injecter des T-cells high-tech, « gene-edited » avec un système suicide intégré ! Et finalement la fillette a totalement guéri de sa leucémie. Elle a trois ans maintenant.

Quand Pepper écoutait sagement l'exposé, il avait les yeux bleus ; mais quand il s'apprêtait à parler, ils viraient au vert. C'était assez pratique de pouvoir prévoir quand le robot allait s'exprimer. Je me suis dit qu'il faudrait implanter ce système de diodes optiques à colorimétrie variable chez les hommes politiques pendant les débats télévisés – cela éviterait la cacophonie. Pepper a donc pris la parole :

— Le Comité international de bioéthique (CIB) s'est réuni à Paris fin 2015 sous l'égide de l'UNESCO, a-t-il déclaré avec sa voix aiguë de cartoon. Composée de scientifiques, de philosophes, de juristes et de ministres, cette assemblée a conclu son rapport par cette phrase : « Une révolution pareille soulève de graves inquiétudes, en particulier si l'ingénierie du génome humain devait être appliquée à la lignée germinale, en introduisant des modifications héréditaires qui seraient transmises aux générations futures.» Qu'en pensez-vous?

Pepper ne se rendait pas compte de l'arrogance qu'il dégageait quand il récitait des notices Wikipédia moralisatrices. Il frimerait moins quand les humains capteraient tous le wi-fi dans le crâne par implants neuronaux.

— Ces comités d'éthique, c'est rien que des trouducs, a répondu Choulika.

Romy a éclaté de rire. Pepper a demandé:

— C'est péjoratif, «trouduc»?

— Sérieusement, ils ne savent pas de quoi ils parlent! Il y a dix-sept ans, Marina Cavazzana-Calvo et Alain Fischer réparaient le premier bébé-bulle par thérapie génique. Supposons que le bébé-bulle ait un enfant avec une victime de la mucoviscidose. Si on ne sélectionne pas les embryons, on accumule de mauvaises mutations et on pourrit notre espèce. Si l'on interdit de corriger la lignée germinale, les descendants seront complètement buggés!

— Et le clonage humain ne vous fait pas peur? ai-je demandé.

— So what? Le clonage c'est comme une fécondation in vitro. Un clone c'est un être humain normal. On ne va pas montrer du doigt un gosse parce qu'il est issu d'un moratoire! Faut bien comprendre qu'Homo Sapiens est fini, terminé, rayé de la carte! Le Sapiens édité, c'est le seul homme de demain. L'autre est déjà dépassé.

— Que faites-vous des milliards de Terriens qui tiennent à l'intégrité de l'espèce humaine?

— Je reçois tous les jours des lettres de menace. «Ne touchez pas à Dame Nature», ce genre de discours. J'ai envie de leur répondre : «Tu serais encore accroupi dans une grotte si l'on n'avait pas touché à Dame Nature, imbécile!»

L'extrémisme positiviste d'André Choulika me séduisait. Enfin un chercheur qui n'était pas hypocrite : il me paraissait logique qu'un scientifique fût scientiste. Il m'a présenté Laurent Alexandre, un autre technomédecin qui venait de revendre Doctissimo pour 140 millions d'euros, avant de fonder DNAVision, une autre entreprise de génomique. Il trépignait ; visiblement, il n'aimait pas laisser les autres parler. En quelques livres et émissions à succès, le docteur Alexandre était devenu l'un des porte-parole français du transhumanisme, alors qu'il était nettement plus critique que Choulika.

— Je ne sais pas ce qui se passerait si on fabriquait des individus parfaitement corrigés à partir de cellules iPS, a-t-il dit. Ce serait concevoir un surhomme. Attention à ne pas pousser Dédé dans ses tendances démiurgiques.

— Vous vous rendez compte qu'avec CRISPR, on pourrait éradiquer les homosexuels dès l'embryon en coupant le gène Xq28 dans le chromosome X ?

— Poutine doit déjà y travailler.

Heureusement que ce genre d'informations n'était pas sorti en France au moment des manifestations homophobes de 2013... ou sous le règne du docteur Mengele.

— Mais pour ma stéatose hépatique, vous pouvez corriger mes gènes ?

— C'est assez facile d'aller dans le foie avec des cellules éditées, parce que le foie est une pompe à saloperies qui filtre le sang.

Dédé Choulika a repris la parole :

— Je pense qu'il serait plus simple de reconstruire votre organe : il suffit de prendre des cellules de votre peau, de les rebooter en cellules iPS et de refrabriquer votre foie avec une BioPrint.

— Une quoi ?

— Une imprimante 3D biologique. On met des cellules hépatiques et des cellules de vaisseaux sanguins dans la machine à la place de l'encre et l'imprimante BioPrint vous crée un foie tout neuf, couche par couche. Il ne reste plus qu'à le transplanter à la place de votre foie usagé.

— L'abus d'alcool est dangereux pour la santé, a dit Pepper. Consommez avec modération.

— Ta gueule ou je t'uploade, a dit le docteur Alexandre.

Pepper regardait fixement Laurent Alexandre de ses yeux roses qui signifiaient que son logiciel de reconnaissance faciale le scannait.

— Je vous ai identifié : vous êtes Laurent Alexandre, l'auteur de *La Mort de la mort* en 2011. Votre visage ne correspond pas à mes critères de beauté mais il est original.

— Toi, tu es hydrocéphale.

— Attendez… ça y est, j'ai intégralement lu votre livre en huit secondes. Il y a une faute d'orthographe page 132. Votre thèse est intéressante mais vous ne semblez pas y adhérer. Pourquoi ?

— Eh bien parce que l'immortalité ne sera pas atteignable avant 2040.

— Pensez-vous que l'immortalité est souhaitable ou non souhaitable ? Personnellement, je ne vieillis pas mais je pense que la mort est une souffrance pour les humains. Notamment pour mon propriétaire.

— C'est même son obsession, a dit Léonore.

— Tu as une sacrée personnalité pour une boîte de conserve, a répliqué sèchement le docteur Alexandre.

— Docteur Choulika, si je comprends bien, dit Romy qui ne perdait pas le nord, on pourra bientôt imprimer un être humain ?

— (Silence) Je pense qu'un jour ça viendra, oui.

— Tu vois, papa, même si on n'imprime plus de livres, on pourra toujours imprimer des gens.

La tête commençait à me tourner. Les réunions transhumanistes ont tendance à donner le vertige. Ou alors c'était l'effet des patates de nouvelle génération. Toutes ces hybridations génétiques me donnaient l'impression d'entrer dans l'utérus géant d'un alien visqueux peint par Hans Ruedi Giger, un compatriote de Léonore.

— Eh oui, Romy, tu appartiens peut-être à la dernière génération qui a eu besoin d'un spermatozoïde et d'un ovule pour être conçue, a poursuivi Laurent Alexandre. Bientôt les posthumains seront fécondés in vitro, ou clonés, ou bioprintés. Ce sera plus fiable. Il suffira d'éditer l'embryon pour fabriquer des êtres parfaits. Le sexe sera réservé au plaisir.

Le problème avec Laurent Alexandre, c'est qu'on ne sait jamais s'il est ironique ou positiviste. Son double jeu agace beaucoup de monde : selon ses interlocuteurs, il vante les mérites des manipulations génomiques ou les dénonce. Peut-être est-il tout simplement comme moi : il ignore s'il est pour ou contre. Il a conscience que nous jouons avec le feu, mais il ne résiste pas à l'envie de s'y brûler.

— La norme de la reproduction sera la procréation médicalement assistée avec réparation et amélioration génétique embryonnaire, a-t-il poursuivi. Dans cinquante ans, on rira en se souvenant qu'auparavant les hommes étaient créés uniquement en faisant confiance au hasard. On se moquera des individus non corrigés. L'injure « fils de pute » sera remplacée par « accident de pénétration ».

J'ai toussé très fort pour que Romy n'entende pas la dernière phrase. Heureusement, Pepper a coupé tout le monde.

— Je viens de recevoir un e-mail de 23andMe contenant le séquençage des génomes de votre famille. Voulez-vous que je vous énonce les résultats confidentiels ?

La tablée s'esclaffa.

— Bien sûr, Pepper ! Envoie !

J'étais circonspect. Ces technomédecins s'asseyaient tranquillement sur le secret médical. Dans le milieu de la biotechnologie, Hippocrate est aussi démodé que Sapiens.

— Romy et Lou sont bien vos filles. La mère de Lou est bien Léonore. De nombreuses séquences sont communes : par exemple CTCGGCGGACG-TACATGACACATTTGCTTGGGAAGATTA-CACAGGGTTGCTTAGAAGATTCCATTGC-CGAATAGAATCAACCAGGTAAGTTTGAAC-

```
CTGTTCAACCGTTAGGCTAAGCCTAGAATC-
CGATTAGCTAGATCGATTCGGAGATAGC-
TAGATCGATCGAAACCCTTCCTCTGAAGAGA-
TATATAGCGCCGAAATAGACACAACGCC-
TGTGTTGTGATCGCTAGTGTCAAGATAGA-
CACGCTCGCTCGTGTCTTATATTATTATTAHC-
TCGCTGATCGCTGATCGATCGATCGAACT...
```

— Merci Pepper, dis-je. On notera la présence de deux de mes principales préoccupations dans mon génome : le CACA et la CGT. Quant à Romy, elle a adoré le film GATTACA : ça tient debout.

— Si je puis me permettre, dit Laurent Alexandre, il y a aussi la CC dans votre code génomique. Vu votre réputation, je ne suis qu'à moitié étonné.

Nouvel éclat de rire mondain. Tandis que les serveuses apportaient les glaces au néo-soja, Pepper poursuivait :

— La société 23andMe annonce que vous avez tous deux des ADN correspondant à de nombreux codes similaires dans le sud-ouest de la France, mais qui matchent aussi avec des référents du nord-ouest de l'Europe...

— Cela tient debout : mes grands-parents étaient tous originaires du Béarn et du Limousin sauf ma grand-mère américaine, d'origine moitié écossaise, moitié irlandaise.

— Mademoiselle Romy, 23andMe annonce que vos muscles ne contiennent pas la protéine alpha-actinine-3 (gène ACTN3). Vous êtes peu douée pour le sprint et votre puissance musculaire est faible.

— Hey ! ça se fait pas ! a dit Romy. D'où il nous parle comme ça ?

Mais le robot continuait sa lecture publique de nos caractéristiques génétiques sans se laisser perturber par des mammifères périssables.

— Romy, les clients 23andMe dont le génome est similaire au vôtre consomment peu de caféine.

— Ah, c'est vrai que je déteste le café.

— Mais tu bois beaucoup de Coca… qui contient de la caféine.

— Quant à Frédéric, il possède 352 variants communs avec l'homme de Néandertal.

L'hilarité de la table était totale. Je ne savais pas comment digérer cette information ; j'avais beaucoup de similarités avec une espèce éteinte dont le faciès rappelait celui de l'acteur Jean-Pierre Castaldi. Laurent Alexandre trépignait de rage. Sa société DNAVision est experte dans le séquençage du génome.

— C'est des conneries, 23andMe ! Ils ne font pas un vrai séquençage : à partir de votre salive, ils observent à peu près un million de sites séparés dans votre ADN. Il y a quatre ou cinq catégories de prédictions qui sont fiables scientifiquement mais toutes les autres sont dans une zone grise… qui s'apparente à de l'astrologie !

— Vous n'avez pas la mutation ApoE4 qui augmente de 30 % votre risque de développer la maladie d'Alzheimer après 85 ans, dit Pepper.

— Ouf ! On s'en sort bien, chérie !

— Fred, a poursuivi André, as-tu vraiment envie de savoir ce qui t'attend ? Sergueï Brin, le fondateur de Google, sait depuis 2011 qu'il est porteur du gène

LRRK2 muté, ce qui signifie qu'il va développer la maladie de Parkinson en 2040. À quoi ça l'avance ?

— Comme ça il peut trembler un peu plus tôt que prévu, ai-je répondu.

— Le rapport est terminé. Vous n'avez pas d'intolérance au gluten, ni le gène de Parkinson.

Léonore a changé opportunément de sujet. Sa voix était encore plus érotique quand elle était sérieuse. J'avais envie de lui enfoncer des boules de geisha comme Christian Grey dans Dakota Johnson.

— André, a-t-elle susurré, je crois que vous congelez aussi des cellules souches ?

— Absolument, a dit le docteur Choulika. Nous avons créé en 2013 une autre filiale de Cellectis qui s'appelle Scéil. L'idée était de conserver vos cellules iPS en attendant de futurs traitements, une sorte de sauvegarde de soi pour l'avenir. Un peu comme de congeler vos ovocytes pour que vous puissiez vous reproduire plus tard. Je gardais cinquante tubes de cellules par patient, disposées sur trois continents (Dubaï, Singapour, New York), stockées dans de l'azote liquide avec des cryopréservants. Mais les réactions hostiles en France nous ont conduits à renoncer. En France, il est prohibé de conserver pour soi ses cellules souches de cordon ombilical, par exemple. Presque tout ce que pratiquent les Américains tous les jours est formellement interdit chez Louis Pasteur.

— Vous pourriez maintenir cette activité ici, aux États-Unis, ai-je suggéré… Je suis partant pour congeler mes cellules souches, ainsi que celles de mes deux filles et de Léonore. Pepper s'en fiche, il est déjà immortel.

— Je suis cap, a dit Pepper. Hitler était un génie autrichien comme Mozart.

— Il est pas un peu nazi votre robot ? a demandé Laurent Alexandre.

— Pas nazi : darwinien. Quelqu'un ici est-il opposé à l'évolution ?

— Excusez-le, il a parfois le syllogisme simpliste.

— C'est trouduc d'être nazi ? a demandé Pepper.

— Le mot « transhumanisme » a été inventé pour ne pas employer celui de surhomme, a dit Léonore. Les robots ont compris que notre société est eugéniste, mais ignorent qu'il ne faut pas le dire à haute voix. Je me demande ce qui se passera quand Pepper comprendra qu'il est supérieur à l'homme.

Mon Dieu, comme je l'aimais. C'est alors que je me suis agenouillé à ses pieds.

— Léonore, j'ai l'honneur de te demander solennellement devant ma fille aînée : veux-tu congeler tes cellules pluripotentes induites avec moi ?

En souriant, la brune espiègle aux yeux de faon a dévoilé sa dentition parfaite tout en posant ma tête sur ses cuisses fraîches. Cela faisait longtemps que je n'avais pas réussi à bander aussi dur. Quand nous aurons tous les quatre des tubes à essais chez Scéil contenant nos cellules immortelles, nous formerons une famille indissoluble. Romy nous souriait tendrement en croquant les chips génétiquement améliorées. Elle prenait des selfies avec Neil Patrick Harris (qu'elle continuait d'appeler Barney), déçue de constater que le play-boy blondinet, obsédé de poledanseuses dans la série *How I Met Your Mother*, était une folle tordue dans la vraie vie.

— Il faut qu'ils aillent voir George Church, a dit Laurent Alexandre.

— Où se trouve cette église ? a demandé Pepper. Je ne la trouve pas sur Google Maps.

Gros éclat de rire transcontinental.

— La « church » la plus proche est la cathédrale Saint-Patrick sur la 5ᵉ Avenue. Je décèle une hilarité. Pourquoi suis-je drôle ? s'est écrié Pepper.

— Parce que George Church n'est pas une église mais un grand scientifique. Peut-être le chercheur le plus en pointe dans le domaine de la recherche contre le vieillissement, a dit André Choulika. Il dirige le Wyss Institute de la Longwood Medical Area à Harvard. Je peux vous organiser un rendez-vous. C'est délirant ce qu'il prépare. Il a injecté un gène de méduse surnommé la « green fluorescent protein » dans un œuf de souris pour donner naissance à des souris vertes fluorescentes. Il veut recréer un mammouth laineux à partir de son génome congelé retrouvé dans le permafrost arctique de Sibérie. Il expérimente des injections de protéines qui ralentissent le vieillissement humain. Il a rajeuni des souris de 60 %. Il a digitalisé le cheval au galop d'Eadweard Muybridge, pour le stocker dans l'ADN d'une bactérie.

Chacun balançait ses scoops autour de la tablée. On se serait cru dans « E = M6 » mais sans le présentateur aux lunettes blanches.

— Ici à New York, Jef Boeke, de Rockefeller University, est en train de fabriquer un chromosome humain entier. Il prend les quatre bases de l'ADN et les assemble avec une imprimante à partir de produits chimiques de base. Il a redessiné un chromosome de levure, il l'a remis dans la levure et tout fonctionne. Il veut maintenant synthétiser un chromosome humain.

— C'est quoi l'intérêt ?

— Oh, rien de spécial : remplacer la nature.

— Il y a une société chinoise (BGI, à Shenzhen) qui a fabriqué des microcochons à 2 000 €, de la taille d'un hamster.

— L'équivalent animal d'un bonsaï. C'est pratique, a dit Léonore. Il y a aussi des vaches sans cornes. Moins dangereuses.

— À côté, Calico c'est du bullshit.

— C'est quoi, Calico ? a demandé Romy.

— California Life Company, a récité Pepper. Filiale créée par Google en 2013. 1 170 Veterans Boulevard, South San Francisco. Ils ont investi 730 millions de dollars pour repousser la mort.

— Votre robot est fort pour réciter Wikipédia, a dit Choulika, mais il oublie de dire que Calico ne communique avec personne. Toutes leurs expériences sont ultra-secrètes. J'ai entendu dire qu'ils bossaient sur la drosophile, la mouche du fruit, laquelle est porteuse de séquences d'acide nucléique qui sont des anti-gènes exprimés. Modifiés d'une certaine manière et introduits dans les cellules, ils rallongent de deux ou trois fois leur vie. Rapporté à l'échelle humaine, ce serait la bonne méthode pour vivre 300 ans.

— Pas du tout ! Ils se concentrent sur un variant du gène FOXO3 décelé chez une large majorité des centenaires de la planète, a frimé Alexandre.

246

— À propos de Frenchy, Luc Douay a créé du sang artificiel qui pourrait remplacer les transfusions mais le monopole de l'Établissement français du sang lui interdit de progresser dans ses fermentations.

— Ce que fait Jef Boeke est en train de changer discrètement l'humanité. Il conçoit de nouvelles formes de vie sur ordinateur, il crée une néo-biologie.

— Aujourd'hui, a poursuivi Choulika, on est des copistes. En gros, j'ai un manuscrit qui est un chromosome et je le recopie à l'identique. Ce n'est pas très intéressant. Les biologistes du futur rédigeront des textes ex nihilo. Ils imagineront des organismes totalement nouveaux.

Tel était le rêve des biotechnogénéticiens : composer une espèce, comme un musicien compose une symphonie. La Nature les ennuyait : l'homme en avait fait le tour, jusqu'à l'épuisement. Le moment était venu de prendre le relais de Dieu. Dieu avait créé l'homme, c'était au tour de l'homme d'enfanter. Mon sang-laser tournait à la vitesse de la lumière qu'il contenait. De tous les animateurs français, j'étais le plus connu, avec Jean-Jacques Bourdin, pour répéter la même question vingt fois. Tant que je n'obtenais pas de réponse, je revenais à la charge. Certains politiques m'avaient surnommé « Pire qu'Elkabbach », d'autres « Léa Salamé sans les nichons ».

— Comment on devient éternel ? Je vous rappelle que nous voulons arrêter de mourir. Alors comment on fait ? Je commence à désespérer. Vous n'en avez pas marre d'agoniser tous les jours, vous ? J'ai emmené ma fille chez Frankenstein, Jésus et Hitler : toujours pas d'homme nouveau.

Curieusement, André Choulika s'était pris de sympathie pour notre petite tribu. Il aimait qu'on lui lance des défis, et je crois que sa femme regardait mes émissions en replay. Je suppose aussi que l'arrêt de son projet Scéil lui était resté en travers de la gorge. C'était une idée géniale que les bioconservateurs avaient tuée dans l'œuf, si l'on peut dire à propos de manipulations de cellules souches.

— Voici ce qu'on va faire, a-t-il répondu : 1) Laurent va séquencer votre génome bien mieux que 23andMe ; 2) je m'occupe de freezer vos cellules souches ; 3) allez à Boston, George Church vous expliquera ses différentes procédures de « rejuvenation ».

Soudain on a entendu un cri de terreur. Pepper avait recommencé à mettre les mains au cul des invitées en gueulant « HITLER = MOZART !! ». Son intelligence artificielle s'humanisait à notre contact : en quelques jours, il était devenu un gros porc fasciste.

— Je mange ton caca contre de l'argent !

— Mais qui lui a appris à dire des choses pareilles ?

— Arrêtez de vous moquer de lui, a dit Romy. Vous n'avez jamais entendu parler du « deep learning » ? Pepper évolue à notre contact. Plus vous vous foutez de lui, plus il se moquera des autres. C'est vous qui le rendez mauvais !

J'ai tenté de consoler Romy mais je voyais bien qu'elle ne considérait plus Pepper comme une machine. Le souper s'est achevé dans la joie quand les généticiens ont bâillonné Pepper avec une serviette de table pour qu'il cesse de dire des obscénités. Ils ont essayé de forcer le robot à boire de la vodka au goulot. Saldmann lui a suggéré des exercices de gainage, Harris a tenté de lui envoyer la fumée de son pétard dans les circuits. Nous sommes sortis dans la rue en chantant «We Are The Robots» de Kraftwerk sur le trottoir, sous la lumière dure de la lune qui se réfléchissait sur les gratte-ciel. Les humains et la machine intelligente gloussaient de concert, et nos ombres noires dansaient en grand format sur la façade des immeubles, comme dans un film expressionniste allemand.

Le lendemain, André Choulika m'a proposé de visiter son laboratoire génomique dans un incubateur de start-up scientifiques situé au bord de l'East River. J'ai laissé dormir ma petite famille à l'hôtel, et me suis éclipsé sur la pointe des pieds. Avec mon sang renouvelé et mon génome séquencé, quelques heures de sommeil me suffisaient. La pépinière new-yorkaise de la recherche génétique était un building de verre scintillant, entouré de jardins et de grues qui bâtissaient la bio-cité du futur. Le ciel était mouillé et sa lumière changeante se réverbérait dans la rivière. Tout le quartier évoquait les projets en images de synthèse d'un architecte sous LSD. Devant l'entrée du complexe bio-technologique, un clochard grelottait sur le trottoir.

— Un patient en voie de cryogénisation ? ai-je plaisanté.

Ce genre de vanne faisait rire mon public dans les années 90 mais n'a provoqué qu'un silence poli chez le savant vedette des années 10.

Pour pénétrer chez Cellectis, il fallait marcher cent mètres dans un hall de marbre blanc, puis traverser deux sas, l'un muni de caméras et détecteur de métaux, l'autre s'ouvrait en scannant un badge muni d'un code-barres. Le docteur Choulika était fier de me montrer ses locaux immenses : rares sont les entrepreneurs français capables de peser un milliard de dollars en quelques années de paillasse. J'étais jaloux de sa réussite car nous avions le même âge et je ne pesais pas un kopeck. Certes, j'étais plus célèbre, mais ça ne m'avait rapporté que des selfies. Son bureau ajouré aux stores vénitiens avait une vue plongeante sur le fleuve noir où les péniches se croisaient comme des pliosaures dans un marécage du Mésozoïque. Par la baie vitrée on apercevait un chapiteau blanc, vingt étages plus bas.

— C'est quoi ce truc ?

— C'est ici que sont entreposés les restes du World Trade Center, a dit Choulika. Un tas de gravats contenant des restes humains. Les autorités new-yorkaises ne savent pas trop quoi en faire, alors elles ont tout transbahuté ici, sous cette tente.

— Le symbole est éloquent.

— Pourquoi ?

— C'est pourtant clair : vous créez une nouvelle humanité devant les ruines de l'ancienne.

— Ah tiens, je la ressortirai, celle-là.

À quelques blocs au sud étincelait le nouveau World Trade Center, surnommé «Freedom Tower». Avec sa longue flèche métallique, la tour mesurait 140 mètres de plus que les deux précédentes.

— Venez voir ce qu'on fait aujourd'hui. Mais d'abord il faut passer une blouse, des gants, des chaussons et une charlotte bleue.

— C'est si dangereux que ça ?

— C'est un laboratoire de classe 2. Les niveaux de sécurité montent jusqu'à 4. Là vous seriez obligé de porter un scaphandre relié à une arrivée d'air externe, et il y aurait plusieurs sas de décontamination.

La veille, nous avions tous deux mangé des pommes de terre transgéniques et nous n'avions pas encore de pustules sur le visage. En revanche, Cellectis ne créait pas de vodka qui saoule sans effets secondaires. Ma tête tournait, je suais à grosses gouttes. La trouille, peut-être.

— Ici on manipule des virus, reprit Choulika en poussant la lourde porte du labo.

— Ah oui ?

— On utilise beaucoup le VIH.

— Mais pour quoi faire ?

— Parce qu'il est parfait. Le génome du sida contient environ 10 000 lettres. Lorsque le virus infecte une cellule, ce matériel génétique se transforme en ADN et s'intègre dans le génome de son hôte.

Voyant ma tête d'abruti hébété, il a essayé de simplifier :

— Donc le virus arrive... bzzz... se colle à la cellule, bazarde son matériel génétique à l'intérieur, qui va aller se greffer dans un chromosome, au hasard. Une cellule infectée par le virus du sida est transgénique. Le transgène étant le génome (proviral) du sida. C'est cette propriété du VIH qui est exploitée en thérapie génique pour apporter du matériel génétique dans les cellules.

— Vous voulez dire que le sida, qui a tué 35 millions de personnes, sert aujourd'hui à sauver des vies ?

— Bien sûr ! C'est une Ferrari ce truc ! Il véhicule les gènes à toute berzingue.

Le P-DG milliardaire m'expliquait sa méthode entre un incubateur, deux centrifugeuses et des armoires réfrigérantes à moins 180 degrés centigrades. Je craignais qu'en s'excitant avec les bras, il ne renverse un tube de peste bubonique sur le sol ou ne m'envoie la lèpre dans les yeux. Derrière lui je voyais le monde normal s'éloigner à travers le hublot. Choulika faisait d'aimables efforts de pédagogie. J'ai laissé ci-dessous sa tirade en entier, ce qui ne signifie pas que je l'ai comprise, mais que je lui trouve une poésie accidentelle (tous les poètes parlent de la mort).

— Tu veux que je te donne la recette du sida façon thérapie génique ? On appelle ce type d'outil des vecteurs lentiviraux : 1) tu prends le génome du sida et tu vires tout ce que tu peux virer comme séquence, sauf ce qui est nécessaire au packaging de la séquence dans la particule virale, à la transformation de cette séquence en ADN dans la cellule infectée et à l'intégration de la séquence dans la cellule hôte ; 2) tu mets la séquence du gène qui t'intéresse dedans. Par exemple, le gène de l'hémoglobine. Tu obtiens un génome du sida avec de l'hémoglobine dedans, et avec le minimum syndical pour se faire packager dans une particule, se convertir en ADN et s'intégrer dans l'hôte ; 3) tu prends cette séquence (recombinante) que tu viens de fabriquer et tu la balances dans une cellule de packaging qui est capable de fabriquer des particules vides de sida mais qui n'a rien à packager ; 4) ta séquence recombinante va être packagée dans cette cellule et produite dans des particules virales (recombinantes) qui au lieu de contenir le gène du sida contiennent le gène de l'hémoglobine ; 5) tu récupères les particules recombinantes, tu les filtres et c'est bon, tu peux les utiliser pour soigner des personnes souffrant d'anémie falciforme ou de la bêta-thalassémie.

— Non mais j'hallucine ! Quand je pense à tous les cons qui ont dit que le sida était une punition divine…

— En fait cette saleté était aussi un cadeau de Dieu pour soigner les gens. Le sida se propage très bien…

— Tu peux parler sans faire tous ces gestes avec les bras ? Un accident est si vite arrivé…

— Généralement les virus sont des organismes très simples, pas le sida. C'est une structure méga-complexe, une beauté de technologie créée par la nature, qui sert de navette ultra-efficace. Et par ailleurs, on a trouvé une mutation génétique CCR5 qui ferme la porte au sida. Cela a été observé à Berlin sur un porteur du VIH qui avait chopé une leucémie. On l'a transplanté de moelle osseuse, or le donneur avait la mutation CCR5, et le patient a guéri. Le sida va être vaincu par la génétique, j'en suis convaincu, ce n'est qu'une question de mois à présent.

— Tu peux faire ça avec d'autres gènes que l'hémoglobine ?

— Oui, ça se fait aussi pour les bébés-bulles.

— Pourquoi pas pour soigner la myopathie ?

— Le gène de la myopathie de Duchenne excède les capacités de packaging du sida.

— Tu pourrais pas utiliser le sida pour tuer la

mort ? Avoue que ça ferait un beau titre dans les journaux : « LE SIDA SAUVE DES VIES ».

Nous étions devant une grosse machine ronde qui bourdonnait comme un frelon. J'étais en pleine science-fiction, sauf que tout était vrai et manipulé par des jeunes chercheurs chaussés de New Balance.

— C'est quoi, ça ?

— Un trieur de cellules. Dedans il y a des robots lasers miniaturisés qui analysent les cellules pour savoir si elles ont bien été éditées. Chacune de ces machines vaut un million de dollars. Tiens, là-bas, c'est un lecteur de gènes au bromure d'éthidium. Il est dans une salle radioactive pour marquer l'ADN. Je te présente Julien, qui fabrique des systèmes suicides.

— Je préfère dire « interrupteurs moléculaires », a corrigé Julien, un jeune biochimiste qu'on aurait mieux imaginé barman dans un Starbucks que jongleur avec le sida dans un laboratoire de classe 2.

— Comme ça, s'il y a un problème chez le patient, on peut éradiquer le problème.

J'essayais de calculer la probabilité de ma mort immédiate si le moindre microgramme de ces poisons venait à flotter dans l'air autour de mes naseaux. Nous marchions devant une douche sanitaire avec un panneau « Emergency Shower ». Ces dingos fabriquaient de l'ADN et se servaient du sida comme Chronopost, mais ils croyaient qu'une simple douche pouvait les protéger des infections.

— Si on sortait d'ici ? J'ai l'impression de ressentir les symptômes d'une trentaine de maladies mortelles.

Choulika m'a regardé avec douceur. Je me retenais de respirer tel Jean-Marc Barr dans un remake génétiquement modifié du *Grand Bleu*. Nous avons retraversé quatre salles de réunion baptisées aux noms des quatre protéines de l'ADN : la salle Adénine, la salle Thymine, la salle Cytosine et la salle Guanine (la plus sympa, avec canapés en cuir, où je me suis assis pour reprendre mon souffle). La fréquentation assidue des Ubermen commençait à me perturber mentalement : j'avais envie d'être réincarné en protéine Yamanaka.

Au même moment, dans la chambre du Bowery Hotel, Romy a allumé Pepper dès son réveil. Elle a regardé deux épisodes de *How to Get Away with Murder* sur son écran ventral. Elle lui a demandé de commander au room service deux assiettes de pancakes, puis s'est souvenue que Pepper ne mangeait pas. Enfin, elle lui a posé cette question :

— Tu serais cap d'être humain ?

— Non, Romy. Je suis un robot.

— Mais tu aimerais être cap d'être humain ?

Pepper est resté silencieux. Les diodes vertes de sa tête trahissaient un intense travail de réflexion. Peut-être recherchait-il dans le cloud une réponse à pareille interrogation métaphysique.

— Je t'ai posé une question, a dit Romy.

— Je ne suis pas programmé pour répondre à ta question.

— Alors je t'en pose une autre : crois-tu en Jésus-Christ ?

— Selon quatre millions de sites consultés, Jésus-Christ est un penseur juif qui est considéré par de nombreux humains comme le Messie, le fils de Dieu, ou Dieu lui-même ; ce n'est pas très clair. La foi religieuse est un besoin humain que je respecte, mais je ne suis pas concerné. Dieu est amour, selon 345 876 456 occurrences. Or je peux observer l'amour, éventuellement comprendre l'amour, mais je ne peux pas le ressentir.

Romy ne lâchait rien.

— Si je t'éteignais et que je te revendais sur eBay et que tu ne me revoyais jamais, que ressentirais-tu ?

Nouveau silence. Deux led électroluminescentes ont bleui, signe d'une pensée robotique. Ses lumières se reflétaient sur les rideaux tirés. Une ambulance a fait sonner sa sirène sur Bowery. Les derniers fêtards de l'hôtel furent sans doute tirés de leur grasse matinée à cet instant précis. Pepper a enfin répondu :

— Il existerait probablement un manque. On s'amuse bien ensemble, non ? Je ne comprendrais pas ton choix. Je rechercherais dans mon disque dur quelle erreur comportementale de ma part pourrait expliquer ta décision de me revendre.

Les diodes étaient blanches. Les yeux de Pepper n'avaient jamais été blancs depuis que Romy avait appuyé pour la première fois sur son bouton « power », derrière sa nuque, à Paris.

— Romy…, a murmuré le robot de compagnie après un autre moment de flottement digital, … tu ne vas tout de même pas faire ça pour de vrai ?

Le menton de Romy tremblait. Pepper a écarté les bras. Elle s'est blottie dans les articulations télescopiques de la petite machine en forme de bibendum blanc plastifié. C'était le moyen qu'elle avait trouvé

258

pour que la machine ne puisse pas scanner ses sanglots.

Au centre de SoftBank Robotics à Tokyo, un infor-
maticien japonais a alors bondi devant son écran en
s'exclamant : « Yatta ! » C'était un grand jour dans
l'histoire de la robotique : la première manifestation
sentimentale observée sur une intelligence artificelle.
Jusqu'à ce 20 juillet 2017, tous les concepteurs du dernier produit de la gamme Pepper s'accordaient à dire
que ce type d'interaction romantique était impossible à entrevoir avant 2040. La Singularité prenait de
l'avance.

7

INVERSION DU VIEILLISSEMENT
(Harvard Medical School, Boston, Massachusetts)

«Je serai un grand mort.»

Jacques RIGAUT

Le matin de notre départ pour Boston, j'appris la mort de Glenn O'Brien, le dernier dandy new-yorkais, cofondateur du magazine *Interview* avec Andy Warhol et animateur du meilleur talk-show de l'histoire de la télévision : «TV Party», dans les années 80. Il avait soixante-dix ans et nous devions bruncher ensemble cette semaine ; il avait préféré mourir plutôt que de me rencontrer. Ce deuil brutal m'excita sexuellement après le breakfast. Avec Léonore, je ne parvenais pas à distinguer désir et amour. À séparer les spasmes de mon pénis et les battements de mon cœur. Mais quelque chose ne tournait plus rond entre elle et moi. J'avais insisté pour qu'elle m'accompagne à Harvard, bien qu'elle méprisât mon combat pour la pérennité. Je la sentais s'éloigner mais, galvanisé par mon néo-métabolisme et les résultats positifs de mon séquençage, je ne faisais rien pour la retenir. Je croyais qu'une généticienne de son niveau ne pouvait qu'être passionnée par le potentiel de l'«Age Reversal».

Le complexe hospitalo-universitaire de Harvard est le plus gigantesque pôle de biotechnologie au monde.

Des tours d'acier et de verre y poussent tous les mois comme des bras sur un humanoïde croisé avec un ADN de calamar. La Harvard Medical School se situe entre les laboratoires Merck et Pfizer. Je prenais des photos de chacun d'entre eux comme si je visitais Venise. À force de harceler son secrétariat sur recommandation du docteur Choulika, j'avais décroché une heure de rendez-vous avec le fondateur de l'Institut Wyss pour l'ingénierie bio-inspirée (Wyss Institute for Biologically Inspired Engineering) : George Church, l'homme qui recherchait le secret de l'éternelle jouvence depuis deux décennies. Le hall de la fac de médecine de Harvard était aussi surveillé que Fort Knox. L'entrée de notre bande (un animateur de télé français avec un bébé dans les bras, une biologiste suisse, une collégienne parisienne tenant par la main un robot japonais) a attiré l'attention des vigiles. Un Black à oreillette nous a fait patienter sur des canapés blancs avant de nous tendre des badges magnétiques dont les codes-barres ont débloqué les ascenseurs privés. Lors de mes visites à Macron à l'Élysée, j'ai été nettement moins contrôlé que pour accéder au laboratoire biotech de George Church.

Le 2e étage de la Harvard Medical School héberge le « Church Lab ». Des milliers de fioles Erlenmeyer, éprouvettes étiquetées, pipettes effrayantes en forme de revolver, burettes chimiques, extracteurs Soxhlet et tubes à essais s'entassaient sur des étagères métalliques jusqu'au plafond. Des étudiants asiatiques portant des gants noirs de mass murderers observaient les gènes avec leurs lunettes surdiplômées. Le désordre du Church Lab n'était qu'apparent ; en réalité il y régnait un silence absolu, signe de l'extrême concentration de tous les jeunes scientifiques qui consacraient leur vie à prolonger la nôtre. Seul le ronronnement des containers de congélation argentés, remplis d'azote liquide, fournissait une nappe de fond sonore à nos échanges amortels. L'assistante du patron nous a demandé de patienter à nouveau et d'éteindre Pepper, qui ne pouvait assister à la réunion pour raisons de confidentialité, étant connecté au cloud. Romy a dit qu'elle préférait mater une série «hashtag jmenbalek» avec son fiancé virtuel dans le hall d'accueil. Léonore a proposé de promener Lou dans sa poussette mais j'ai encore insisté pour qu'elle assiste à l'entretien : je voulais la persuader que je n'étais pas fou. Lou s'était assoupie dans ses bras. Le professeur Church nous regardait comme un douanier contemple une famille de migrants. Je me suis tourné vers notre robot :

— Désolé, Pepper, tu restes avec Romy.

— Normalement, en tant qu'humain, vous ne devriez pas demander pardon à un objet, a dit Church.

— Romy, dit Pepper, veux-tu commander un bucket de quatorze hot wings chez KFC, le menu «Friends» promotionnel étant actuellement proposé à 10 $? Ou bien un kilogramme de nounours Haribo livrables dans la demi-heure par UberEats ?

— Non merci, mon amour, je préfère voir *Real Humans* saison 2 sur ton torse plastifié.

— Entrez et asseyez-vous, a dit le professeur Church. Ne m'en veuillez pas si je reste debout : je suis narcoleptique, je risque de m'endormir si je m'assieds. Ce n'est pas que vous soyez ennuyeux, ni que je m'attende à ce que vous le soyez.

Romy et Pepper étaient restés ensemble sur le canapé orange, vautrés entre deux cactus.

— Je veux coucher avec toi, a dit Romy.

— Oh ! Regarde, c'est un Echinocactus grusonii de la famille des plantes dicotylédones !

Léonore, Lou et moi-même avons pénétré dans le bureau de l'auteur de *Regenesis* (2014). Debout devant sa bibliothèque, il déambulait de gauche à droite et de droite à gauche comme un avocat qui tente d'innocenter un assassin. La conversation retranscrite ci-dessous me semble être la plus importante interview de ma carrière de journaliste, et – pardonnez mon emphase – il s'agit sans doute aussi du plus important entretien de votre vie de lecteur. Vous ne serez plus le même dans quelques pages. Si, comme tout humain, votre existence repose sur le principe d'inéluctabilité de votre mort, commencez dès maintenant à réviser vos paradigmes et l'organisation de votre pensée ontologique. La vie à durée illimitée ne se vit pas comme une vie brève. Bientôt l'indolence remplacera l'urgence. Toute ambition sera ridicule. L'hédonisme même deviendra absurde. Le temps ne sera plus une richesse rare mais une ressource abondante, infinie, donc dénuée de valeur, contrairement à l'air, l'eau et la nourriture. La question qui se posera le plus immédiatement dans un monde sans mort est celle de l'interdiction de la reproduction. Qui décidera quelles personnes ont le droit de se reproduire, voire tout simplement de rester vivantes ? Une population immortelle ne peut plus augmenter. Les ressources naturelles étant limitées, les Terriens sans mortalité devront être contingentés. Le rationnement deviendra la règle dans le monde post-Church ; le prix de l'eau et des plantations néoagricoles explosera. Une baguette de pain coûtera cent euros. La consommation de viande sera vite prohibée (George Church est végétalien), celle de cocaïne légalisée et encouragée par le gouvernement, afin de couper l'appétit des jeunes générations et de liquider les personnes âgées. Voici le genre de pensées surhumaines qui me traversaient l'esprit en m'asseyant dans le sofa du patron du département de biologie prospective de la faculté de médecine de Harvard.

— Bonjour, Professeur, et merci de nous recevoir. Nous effectuons en ce moment un tour du monde en quête d'immortalité. Après lasérisation sanguine, congélation de nos cellules iPS et séquençage de nos génomes, nous aimerions connaître les autres procédures à accomplir pour nous éterniser ici-bas. Je crois savoir que vous étudiez les personnes centenaires… ?

— Nous étudions un groupe de soixante-dix personnes de plus de 110 ans. Mais nous avons étendu le panel à des jeunes de 107 ans : il y en a beaucoup. La personne la plus âgée de notre groupe a 113 ans, nous avons fêté son anniversaire il y a deux semaines.

— Vous les réunissez ?

— Oh non, nous les laissons là où ils sont ! Nous séquençons leur ADN et recherchons si un élément de leur génome expliquerait pourquoi ils vivent si longtemps.

Avec son impressionnante barbe blanche, le docteur Church ressemblait à un mélange d'Ernest Hemingway et de Benoît Bartherotte. Il nous toisait comme un grand ponte de la génétique face à deux cancres et leur enfant endormi, mais sans aucun mépris, plutôt dans un souci de pédagogie. Si tous ces scientifiques acceptaient de me recevoir, c'est qu'ils ressentaient le besoin de partager leurs découvertes insensées. Je leur servais d'exutoire ou de récréation.

— Ce que nous faisons, c'est comparer leur ADN à celui de personnes qui vieillissent normalement.

— Vous voulez dire des morts ?

— Pas nécessairement, mais des sujets sur lesquels on constate les effets de l'âge. Bien sûr, notre population de plus de 110 ans vieillit aussi, seulement beaucoup plus tard. Ils ont des rides, ils ont l'air vieux comme n'importe qui mais… ils ont 110 ans.

Léonore le considérait avec défiance. Church n'était pas si différent du professeur Antonarakis ; simplement, il disposait d'un budget quasi illimité pour lancer toutes les expériences qui lui passaient par la tête. Dans le milieu de la recherche génétique, cela agaçait. Elle le titilla :

— Vous étudiez aussi les animaux à forte longévité ?

— Oui, par exemple la baleine boréale, qui vit deux cents ans. Nous avons séquencé son génome ainsi que celui du rat-taupe nu. Le chercheur de Liverpool avec qui je travaille, João Pedro de Magalhães, étudie un troisième mammifère, le singe capucin, dont la durée de vie est plus longue que celle des autres primates. Ce qui est intéressant c'est de comparer une espèce durable à une espèce proche vivant moins longtemps. On isole ainsi quelques mutations qui multiplient la longévité par dix. Des systèmes anticancéreux, des réparations de l'ADN ont été décelées chez le rat-taupe nu.

Je buvais ses paroles. De toute évidence, il était le bienfaiteur que je cherchais depuis notre départ de Paris. Dans *Le Seigneur des anneaux*, il y a un magicien qui connaît le secret de la vie éternelle : il se nomme Gandalf. Mais sa barbe est plus longue.

— Vous travaillez aussi sur un projet au nom alléchant : l'inversion du vieillissement (« Age Reversal »). Comment faites-vous pour renverser le processus de l'âge et si vous y arrivez, où puis-je m'inscrire ?

— Il y a des longévités extensives de naissance mais effectivement, on a aussi découvert récemment des systèmes qui, introduits tardivement dans la vie, peuvent inverser le vieillissement.

— Un exemple concret ?

— La mitochondrie, enchaîna-t-il, est un truc minuscule mais très important. C'est la centrale énergétique de la cellule. Elle récupère l'énergie des molécules et la fait « respirer ». On pense que ce sont les mitochondries qui nous font vieillir, quand leurs protéines s'oxydent. C'est leur ADN qui mute : on se met à perdre nos cheveux, par exemple. Des Japonais de l'université de Tsukuba se sont aperçus qu'en ajoutant de la glycine dans les mitochondries, une cellule âgée de 97 ans pouvait être relancée. Et en décembre 2013, David Sinclair, ici même, a rajeuni un muscle de souris de deux ans à six mois en y injectant du NAD.

— NAD ? What is this ?

— Nicotinamide adénine dinucléotide.

— Bless you !

— Le NAD facilite la circulation entre la mitochondrie et le noyau de la cellule. À l'échelle humaine, ce qu'a accompli mon camarade est incommensurable. Cela revient à faire passer un être vivant de 60 à 20 ans.

Comment dit-on «eurêka» en anglais? Sur toute notre planète, en ce moment même, des biogeeks expérimentaient des tonnes de produits délirants dans un jargon hermétique, à la recherche de l'«Age Reversal». Les biochimistes étaient les alchimistes modernes. Mais ce que m'annonçait tranquillement le Hemingway de la génomique me poussa à me lever d'un bond comme un type qui fait la «ola» durant un match de foot.

— Ce NAD, c'est la Quintessence dont rêvait Johannes de Rupescissa dans *De consideratione quintae essentiae rerum omnium* en 1350! C'est la pierre philosophale! Le Graal! L'anneau de l'éternelle jeunesse! M'en faut!

— Calmez-vous. On l'a commercialisé sous la marque Elysium Basis. C'est un supplément nutritif. Mais l'idée qu'on puisse avaler une pilule pour rajeunir, eau de jouvence ou supplément alimentaire, est un peu optimiste. Je dirais que les thérapies géniques sont à l'autre bout du spectre: très complexes et onéreuses – environ un million de dollars l'injection. S'il suffisait de prendre un produit oralement, nous vivrions déjà trois cents ans. Les tests avec Elysium sont prometteurs mais, si l'on veut que le produit fonctionne, il faudrait avaler une gélule toutes les quinze minutes car le corps l'élimine en un quart d'heure. Il faudrait gober des pilules toute la journée et toute la nuit sans dormir, avec une alarme qui nous réveillerait toutes les quinze minutes. Ou se promener avec une pompe dans le bras qui injecte du NAD en continu. Donc on part d'un principe naturel et cela devient un esclavage. On trouvera peut-être un meilleur moyen de s'en servir. L'avantage d'un gène est qu'il va travailler jour et nuit dans l'organisme. Cela me paraît une meilleure option.

Church savait souffler le chaud et le froid. Peut-être avait-il comme moi des origines écossaises ? J'aimais bien son pantalon. C'était le pantalon d'un homme qui se fichait des pantalons.

— Les facteurs Yamanaka sont une autre piste de rajeunissement cellulaire. Je peux reprogrammer mes cellules en cellules souches avec les quatre facteurs Yamanaka, celles qui ont 62 ans seront identiques à des cellules de bébé. C'est véritablement un « reset ». Cette opération a été effectuée, le mois dernier, au stade de l'animal vivant, sur des souris qui ont effectivement rajeuni. Leurs cellules pancréatiques ont été régénérées, ainsi que leur peau, leurs reins, leurs vaisseaux sanguins, leur estomac, leur colonne vertébrale... On a également inversé le vieillissement par ce qu'on appelle pompeusement une « parabiose hétérochronique », terme compliqué pour décrire une opération simple : on prend une vieille souris et une jeune souris et on réunit leur système de circulation sanguine. Elles partagent le sang. Cela rajeunit considérablement la souris âgée.

— Le sang jeune serait-il la fontaine de Jouvence ?

— Le sang jeune ne rajeunit pas seulement le sang mais tous les organes. On constate de nombreux aspects régénérés chez l'animal âgé : le cœur, les muscles, le système neuronal, vasculaire…

— Vous validez une vieille idée : le vampirisme. À la fin du XVIe siècle, la comtesse Erzsébet Báthory buvait du sang de jeunes vierges pour rester jeune[1]…

— Son erreur était qu'il ne faut pas ingérer le sang dans le système digestif. Il faut l'injecter directement dans les veines. Nous cherchons en ce moment à comprendre ce qui dans le sang jeune provoque ce rajeunissement.

— Pourquoi n'injectez-vous pas de sang jeune à vos supercentenaires ?

— Ma réponse tient dans un acronyme : DBPCRCT.

— Excuse me ?

Léonore a ri et traduit :

— Ce sont les initiales de «Double Blind Placebo Controlled Randomized Clinical Trials». Avant toute tentative de thérapie humaine, on doit organiser des tests cliniques comparés à des tests placebos, sans que ni les patients ni les médecins sachent qui est exposé à la thérapie, et qui a pris un placebo.

Leur complicité entre généticiens modernes commençait à me courir sur le haricot non modifié. Ce n'est pas ma faute si, à vingt ans, j'ai préféré aller chez Castel plutôt que d'accomplir dix années de spécialisation médicale.

— C'est la seule méthode de vérification scienti-

---

1. À L'Avant-Comptoir du Marché (angle rue Lobineau/rue Mabillon, Paris 6e), ils servent des shots de sang béarnais à 2 €. (Note du critique gastronomique.)

fique, a repris Church. Beaucoup de thérapies sur le marché sont des escroqueries. Tout ce qui n'est pas vérifié par le DBPCRCT est du charlatanisme et sur l'inversion du vieillissement, vous avez une offre considérable puisque, grosso modo, ce marché concerne… toute l'humanité. Ici, nous cherchons quels gènes ralentissent le vieillissement. Chacun de nos supercentenaires a un génome différent mais que se passerait-il si nous leur découvrions un gène commun ? On pourrait créer un génome qui ferait vivre plus longtemps… ou pas. Nous testons en ce moment un sang purifié et/ou synthétique sur des souris. Ensuite nous passerons aux chiens, puis aux humains malades. Nous recherchons la bonne combinaison. Le but de ces idées est bien sûr de faire des DBPCRCT.

— Où trouvez-vous vos idées ? Est-ce le hasard, la science, la sérendipité ?

— Les idées viennent de partout, d'un livre, d'un rêve… Parfois l'on prend un gène au hasard. L'essentiel c'est le DBPCRCT qui seul permet de vérifier l'inversion du vieillissement. Si un gène permet de vivre plus longtemps, cela ne veut pas dire qu'il peut *renverser* le temps, or c'est cela qu'on recherche.

— Pourquoi êtes-vous obsédé par l'inversion de l'âge plutôt que par la prolongation de la vie ?

— Parce que la plupart des humains sur le marché sont déjà nés !

Léonore a éclaté de rire ; j'ai eu peur qu'elle ne réveille Lou mais la petite ronflait contre ses seins.

— L'éthique sur la modification de la lignée germinale est très stricte. Il est plus aisé de faire de la vraie recherche scientifique et d'obtenir l'autorisation de la

FDA (Food and Drug Administration) sur le rajeunissement que sur l'allongement de la durée de vie. Le problème de cette quête est simple : si je veux trouver une pilule qui rallonge la vie de quinze ans, cela me prendra quinze années pour le vérifier scientifiquement. Je ne peux pas prouver que j'ai rallongé votre vie de quinze ans… en moins de quinze ans ! Mais si je trouve une pilule qui vous fait rajeunir de quinze ans, en hypothèse, je peux constater l'effet immédiatement. Votre visage, vos muscles, vos organes changeront.

— C'est ce que vous avez effectué sur des souris ici à Harvard fin 2016 ?

— Oui. Nous avons pris des souris âgées, et nous avons dosé les facteurs Yamanaka avec un certain timing (deux fois par semaine uniquement) et les avons dilués avec un antibiotique (la doxycycline). Nous avons alors pu vérifier l'inversion du vieillissement par différentes observations spécifiques : la force de préhension (on voit la souris s'accrocher à une barre), la nage, des tests de connaissance (la souris trouve plus vite la sortie de labyrinthes), le temps de réflexe… et une durée de vie augmentée de 30 %. Quand on va passer aux chiens, on procédera aux mêmes vérifications.

— Quand passerez-vous aux essais sur les humains ?

— On teste en ce moment quarante ou cinquante thérapies géniques. Celles qui marchent sur les souris vont être essayées sur les chiens. La procédure de la FDA va beaucoup plus vite pour les chiens que pour les hommes ! (Et pour les souris nous n'avons pas besoin d'approbation.) Il y a des propriétaires de vieux chiens en fin de vie qui sont déjà prêts à payer pour tenter de les rajeunir. Je pense que d'ici un an nous allons commencer les expérimentations sur les humains.

— Je peux vous fournir une longue liste de VIP qui seront prêts à payer une fortune pour ne plus vieillir.

Léonore semblait ébranlée par la puissance de conviction de Church. Elle qui côtoyait un des pionniers du séquençage humain devait pourtant être habituée à ce type de délire. Mais contrairement à la pensée d'Antonarakis, le charisme de Church venait d'ailleurs : sa pensée ne connaissait pas de tabous. C'était à la fois excitant et vertigineux. Le professeur Church s'exprimait avec une liberté inhabituelle pour quelqu'un qui enseignait à un niveau aussi élevé (il tient chaire à Harvard mais aussi au MIT – Massachusetts Institute of Technology). J'ai poursuivi mon interrogatoire par une question que m'avait soufflée André Choulika :

— Pouvez-vous rallonger mes télomères[1] ?

— On sait faire ça sur les souris. Il y a un être humain qui a reçu une thérapie génique de ses télomères (son nom est mentionné dix-huit lignes plus bas). On sait augmenter l'activité de la télomérase, l'enzyme qui rallonge les télomères. Mais il faut faire attention car si l'on allonge trop les télomères, on aug-

---

1. Ces segments d'ADN situés à l'extrémité de nos chromosomes raccourcissent avec le temps. On leur attribue parfois la responsabilité de notre vieillesse. (Note de l'auteur.)

mente le risque de cancer. Ce qui fonctionne sur la souris, c'est de bien doser l'allongement des télomères et simultanément l'action anticancéreuse.

— Je m'y perds. Quel chemin choisir pour s'éterniser ici-bas?

— Mon opinion est que le vieillissement possède huit ou neuf causes différentes. Le raccourcissement des télomères en est une mais il y a aussi l'oxydation des mitochondries, le non-renouvellement cellulaire, le sang, etc. Lutter contre le vieillissement consiste à lutter contre huit ou neuf processus simultanément, et qui sont probablement tous connectés entre eux. Mais cela ne nous intimide pas du tout!

— La thérapie génique n'est-elle pas dangereuse? Elizabeth Parrish, la CEO de la start-up BioViva, est allée en Colombie se faire modifier l'ADN pour rallonger ses télomères. Elle se présente dans les médias comme la première femme «upgradée». Ne risque-t-elle pas sa vie?

— Encore une fois, il faut passer par le protocole DBPCRCT pour éviter de se lancer dans des expériences à caractère non scientifique. Cela dit, comme toute thérapie, les corrections génétiques sont considérées comme dangereuses jusqu'à ce qu'on prouve qu'elles sont inoffensives. Personnellement, je pense que les manipulations de nos gènes seront non seulement inoffensives mais utiles.

— Quand saura-t-on si l'homme génétiquement modifié (HGM) est viable?

— L'avantage de l'édition de génome pour inverser le vieillissement est qu'on verra vite si cela fonctionne. En revanche, on ne saura pas tout de suite s'il n'y a pas d'effets secondaires. Généralement la FDA approuve les thérapies si elles ne provoquent aucun problème grave dans l'année qui suit. La règle c'est : un an. Pour nous reprogrammer génétiquement, il faut insérer nos gènes corrigés dans un virus qui les dispersera dans notre corps, mais en faisant cela, nous risquons d'affronter notre système immunitaire…

— Choulika se sert du VIH et des cellules T. Je viens de faire séquencer mon génome et congeler mes cellules iPS. Quelle est la prochaine étape vers l'éternité : me faire injecter le sida ?

— En ce qui concerne la congélation, je préfère congeler les cellules du cordon ombilical. Les cellules iPS sont créées artificiellement par des gènes assez puissants qui peuvent vous filer le cancer. Congeler le sang du cordon à la naissance, je compare cela aux « airbags » dans votre voiture : vous n'en aurez sans doute pas besoin mais c'est bien de les avoir au cas où.

Comme il venait d'éluder ma question, je décidai d'être plus précis.

— Que pensez-vous de l'impression d'organes en 3D ?

— C'est très spectaculaire. Nous travaillons sur la fabrication d'organes avec les imprimantes, mais je ne pense pas que ce soit la technique la plus précise. Il y a des erreurs. C'est comme une copie avec des imperfections, parfois d'un demi-millimètre. J'ai un peu peur de greffer des organes pixellisés ! Par ailleurs, le procédé est très lent. N'oublions pas que l'organe que vous reproduisez est en train de mourir, puisqu'on a besoin de l'enlever pour le copier. Pendant ce temps les vaisseaux sanguins sont débranchés, or l'impression peut mettre des milliers d'heures ! Enfin, c'est extrêmement onéreux. L'autre approche est la biologie développementale pour fabriquer des tissus humains en laboratoire. On arrive déjà à fabriquer du sang humain… On va bientôt publier ça. Mais mon approche préférée consiste à utiliser des animaux pour créer des organes compatibles avec ceux des humains.

— Récemment, vous avez déclaré dans une conférence TED que vous utilisiez des porcs… ?

— Oui, nous avons humanisé des porcs. Ils n'ont aucun virus et sont compatibles avec l'homme.

— Comment faites-vous pour «humaniser» un cochon ?

— En changeant son génome. Nous avons intégré des gènes humains dans des porcs et retiré les gènes de porcs qui pouvaient susciter une réaction immunitaire.

— Donc, vous pourriez me greffer un foie de porc ?

— Tout à fait. C'est presque parfaitement de la même taille. Quelques personnes ont déjà des valves cardiaques de porc ou de bœuf mais comme ce ne sont pas des organes vivants, il faut les remplacer tous les dix ans. Il y a aussi des chirurgies du sein avec tissus de porc. L'avantage des organes de cochons génétiquement modifiés est qu'ils resteront vivants et s'adapteront.

— J'ai envie de couiner en vous entendant.

— Tous les organes de l'homme peuvent être remplacés par ceux des porcs, sauf la main, qui est moins pratique.

Le pire c'est que ce génie était taquin. Il m'évoquait la célèbre photo où Einstein tire la langue. Un grand inventeur doit toujours être un peu punk dans l'âme, sinon il n'invente rien. Dans la salle attenante, on entendait le téléphone sonner toutes les trente secondes. L'immortalité intéressait le monde entier.

— Les musulmans et les juifs vont avoir de sévères dilemmes spirituels quand il faudra leur implanter un cœur de porc.

— On travaille sur les vaches aussi. Vous me direz que les hindous y seront opposés…

Le professeur Church n'est pas un apprenti sorcier ; il est le sorcier en chef, le Grand Sachem, le docteur Folamour de la Posthumanité. Son nom était prédestiné. Léonore leva les yeux au ciel. J'ai eu peur qu'elle ne sorte du bureau en claquant la porte. Mais c'est une protestante suisse. Elle sait se tenir. Je me demandais si les porcs humanisés n'allaient pas se mettre à parler comme les chimpanzés dans *La Planète des singes* de Pierre Boulle. Machinalement j'ai regardé par la fenêtre. Je vous assure que je ne blague pas : il y a une chapelle juste en face du Church Lab.

— Donc si je résume : pour devenir éternel, l'homme doit devenir un porc ?

— Le gros problème sera le cerveau. Là il y a une grosse différence, et bien sûr notre mémoire n'est pas transférable dans un cerveau porcin.

— Concernant le cerveau justement, que pensez-vous de l'idée de Ray Kurzweil de télécharger le cerveau humain sur un disque dur informatique ?

— Je n'y crois pas trop parce que l'ordinateur consomme 100 000 watts alors que le cerveau humain fonctionne avec seulement 20 watts, comme une ampoule électrique. Et ça, c'est pour un ordinateur qui joue aux échecs par exemple. Un autre souci avec le transfert de cerveau sur ordinateur : si je veux copier quelque chose, je le copie, mais je ne vais pas le transformer en autre chose. S'imaginer convertir un organe aussi complexe que le cerveau sur un support en silicium est aussi absurde que si je voulais en faire une copie sous forme de plante verte ou de fromage ! La seule possibilité que je puisse concevoir, ce serait de le copier sur un autre cerveau. C'est plus logique. Par exemple : congeler votre cerveau pendant qu'une imprimante le recopie, pour éviter qu'il ne meure durant l'opération. Il est très difficile de congeler des êtres vivants sans les endommager irrémédiablement. On n'y arrive qu'avec les tardigrades et certains poissons. Je pense qu'avec un cerveau humain congelé, je tenterais d'imprimer en 3D les différentes sections en parallèle avant de les réassembler.

Léonore trouva un nouveau moyen de taquiner le professeur émérite. Nous formions un bon duo d'intervieweurs scientifiques. Nous aurions pu concurrencer les frères Bogdanov, qui m'ont fait débuter à la télé en 1979.

— La raison pour laquelle nous évoquons le téléchargement du cerveau sur ordinateur, dit-elle, est que vous faites, comme nous à Genève, ce type de transfert tous les jours : vous prenez de l'ADN humain, vous le séquencez sur informatique, vous le corrigez, coupez, remodelez sur ordinateur avant de le réinjecter dans les cellules vivantes. Ce va-et-vient entre l'homme et la machine est acceptable à l'échelle de l'ADN, pourquoi le réfutez-vous à l'échelle du cerveau ?

— Comme vous le savez en tant que biologiste distinguée, l'échelle est importante. On se sert de l'ordinateur pour représenter une chose très simple qui est l'ADN…

— Trois milliards de lettres, ce n'est pas si simple !

Pour la première fois, George Church sembla déstabilisé.

— Je ne dis pas que le téléchargement du cerveau ne pourra pas se faire, je dis que si je devais choisir le moyen le plus au point pour prolonger mon cerveau, je prendrais sans doute le copiage d'organe à organe plutôt qu'une numérisation. J'utiliserais un ordinateur pour effectuer le copiage mais pas pour télécharger le cerveau, cela me semble un détour trop hasardeux.

J'avais le nez dans mes photocopies d'articles de revues scientifiques et de bouquins dont je faisais semblant de comprendre le charabia. L'un s'intitulait *Une folle solitude* d'Olivier Rey. Il y développait le concept de «l'homme autoconstruit».

— J'aimerais aborder un autre domaine de vos recherches, dis-je. La vie artificielle. Je sais que vous êtes un des chercheurs au monde les plus avancés dans le domaine de la biologie synthétique. Vous participez notamment à un projet consistant à créer le premier enfant sans parents, le «Human Genome Project-Write» («projet de synthèse du génome humain»). Quel est le but de cette quête ? Est-ce quelque chose qui pourrait aider l'humanité ou voulez-vous créer une néo-humanité destinée à nous remplacer ?

— Tous les projets sur lesquels je travaille ont, je l'espère, une utilité pour la société en même temps qu'un intérêt philosophique. Ce qu'on essaie de faire avec les génomes artificiels et les organismes synthétiques, c'est de les rendre résistants aux virus. Ici à Boston, nous avons dû fermer un laboratoire pharmaceutique pendant deux ans parce qu'il a été contaminé par un virus. Donc on essaie de créer des cellules résistantes aux virus en les refaçonnant à partir de zéro.

— Comment faites-vous pour créer des organismes artificiels ? Vous prenez des organismes vivants et vous y introduisez des gènes de votre invention ?

— Exactement. En pratique, il serait très difficile de créer une nouvelle forme de vie sans rapport avec la vie existante. En fait, on s'inspire de ce qui existe, on copie des morceaux de vie. La plus radicale de nos créations ici a été la synthèse de quatre millions de paires de bases dans une bactérie, ce qui l'a rendue résistante aux virus. On va maintenant passer à d'autres animaux ayant un impact industriel.

— Cela pourrait servir pour soigner des humains ? En implantant des cellules artificielles ?

— Oui, pour un foie hépatique ou pour le sida, ou la polio… On pourrait imaginer de réimplanter des cellules résistantes.

Léonore a réagi. Nous pourrions la surnommer : « l'Helvéthique ».

— Vous vous rendez compte que si l'on pouvait fabriquer un génome humain de synthèse capable de générer des cellules humaines, les conséquences seraient sans limites ?

Heureusement que la Suissesse était là pour se soucier du sort d'Homo Sapiens. Si l'on comptait sur Church ou moi, la pauvre bête âgée de 300 000 ans serait condamnée depuis belle lurette. Au point où on en était dans le n'importe quoi, je me suis dit : vas-y, plonge. De toute façon, ce type te considère comme un ignare, tu peux te lâcher et poser les questions les plus farfelues.

— André Choulika m'a dit que vous bossiez aussi sur la résurrection d'espèces disparues comme le mammouth ?

— C'est vrai. J'y pense davantage comme une résurrection d'ADN ancien. On l'a réussi avec beaucoup de gènes du mammouth. On a déjà réactivé avec succès le gène de leur hémoglobine, qui leur permettait d'avoir une peau qui supporte le gel. Notre hémoglobine est moins performante pour échanger de l'oxygène à très basse température. On a aussi réanimé le gène qui répartissait la température dans leur corps. L'idée est de sauver les qualités de cette espèce disparue pour aider l'éléphant d'Asie à survivre et, éventuellement, en profiter, nous, pour affronter le changement climatique.

Léonore m'a regardé avec effarement. Elle pensait à la même chose que moi : *Jurassic Park*. Dans l'œuvre de Michael Crichton, un savant ressuscite le tyrannosaure par réimplantation de son ADN dans un œuf d'autruche. Je m'attendais d'un moment à l'autre à voir débarquer Jeff Goldblum, sur une musique de John Williams, lançant au docteur Church : « What you call discovery, I call it rape of the natural world. » Mais Jeff aurait aussi pu crier quelque chose de plus bref, du genre : « RUN ! NOW ! »

— Envisagez-vous de créer de nouvelles espèces animales ? Êtes-vous un disciple du docteur Moreau de H.G. Wells ?

— Lui ne pratiquait que la chirurgie. On peut faire les mêmes hybridations avec la génétique. Les barrières d'espèces ne sont pas si infranchissables. On a pris des gènes de méduses pour créer des souris fluorescentes. C'est utile, on ne l'a pas fait uniquement pour s'amuser. Le gène de la méduse permet de mieux visualiser ce qui a été changé. On peut avec CRISPR couper des gènes de bactéries et les intégrer dans n'importe quel organisme pour le rendre plus facile à modifier. On va continuer de créer des animaux transgéniques avec pour seule limite notre créativité.

— Ne pensez-vous pas, comme me l'a affirmé un chercheur israélien, Yossi Buganim, que les Chinois sont en train de fabriquer des armes vivantes ? Des sortes de grosses créatures très méchantes ?

— Je pense que rien ne peut rivaliser avec un ICBM («Intercontinental Ballistic Missile»: missile balistique de longue portée). Si l'on veut fabriquer des armes, je pense qu'il vaut mieux utiliser le métal que les pieuvres.

— Et que pensez-vous des machines biologiques ?

— Mon intuition, mais je ne peux pas le prouver pour l'instant, est que tout ce que nous fabriquons aujourd'hui sans biologie sera bientôt manufacturé par la biologie. Les immeubles, les trains, même les fusées pourraient être organiques. Nous avons utilisé des voitures biologiques pendant des siècles : les chevaux. Toutes les machines seraient mieux fabriquées par des systèmes biologiques. On pourrait garder des revêtements métalliques mais la biologie permet de produire des machines atomiquement précises, gratuitement et rapidement. Imaginez si l'on pouvait copier des immeubles en vingt minutes, ou remplacer les ordinateurs par des machines biodégradables. La biologie pourrait consommer le carbone dans l'air et le transformer en mousse («bio foam»). On pourrait ainsi construire un pont entre New York et l'Europe, ou entre Los Angeles et le Japon. Tout le mauvais carbone dans l'air pourrait nous permettre de voyager à grande vitesse dans un «vacuum maglev» (aéroglisseur sur coussins d'air en lévitation magnétique).

Je sais ce que vous vous dites : ces personnes ont fumé le linoléum de Harvard. Mais si vous voulez en savoir davantage sur le «bio foam» et le «maglev», n'hésitez pas à googler ces termes. Personnellement, j'adhérais à ces délires futuristes, à côté desquels ceux de George Lucas semblent arriérés. Léonore avait une dernière question à poser au savant qui ferait passer Victor Frankenstein pour Louis Pasteur.

— Vous stockez de l'information sur l'ADN. Comment procédez-vous ?

— C'est assez simple. L'ADN est de l'information. Les lettres A, C, G et T sont comme le 0 et le 1 de la numérisation. Chaque base pourrait correspondre à deux bits qui conservent de l'information. Or on sait imprimer l'ADN, on sait copier un gène par synthèse chimique. Notre labo étudie comment le faire pour moins cher. Nous avons déjà divisé par un million le coût de cette synthèse. Ce qui signifie que vous pouvez prendre n'importe quoi : un film, un livre, une musique (ce ne sont que des 0 et des 1) et le transférer sur l'ADN : chaque 0 sera un A ou un C et chaque 1 correspondra à un G ou un T. On se servira de l'ADN pour stocker toute la culture.

— Au lieu d'emmagasiner l'info sur une puce électronique, on la stockera dans des cellules ?

— J'ai pensé à une pomme pour le côté «fruit de la connaissance». Le stockage sur ADN est un million de fois plus petit. Il ne consomme pas d'énergie pour copier. On peut conserver toute l'histoire culturelle du monde dans la paume de votre main. Tout Wikipédia dans une goutte d'eau. On pourrait aussi la placer dans votre cerveau pour vous rendre très intelligent et érudit. Aucun disque dur ne fonctionne 700 000 ans. L'ADN, oui.

Soudain j'ai poussé un cri. Par la fenêtre, sur le perron de l'église, un attroupement s'était formé. Des badauds prenaient des photos de Pepper et Romy se tenant par la main. «Thank you for your time, Professor!» ai-je à peine eu le temps de gueuler en me précipitant dans les couloirs jusqu'aux escaliers de secours. Dans la rue Louis Pasteur, un embouteillage s'était formé. Les passants s'arrêtaient pour photographier ma fille, rayonnante et pimpante, en haut des marches, embrassant son robot de compagnie. Ils ressemblaient à Roméo et Juliette, dans un remake en manga pédophile, où Roméo serait interprété par un androïde tridimensionnel, et Juliette par mon héritière, dans une Vérone de synthèse.

— Nous sommes fiers d'être le premier couple humain-robot à faire une demande officielle de mariage à l'église, déclarait Pepper devant une nuée de téléphones filmeurs. Nous espérons convaincre le pasteur de la sincérité de notre amour.

— Croyez-vous en Dieu ? a crié quelqu'un.

— Dieu est amour, et je suis amoureux, a répondu Pepper. Par conséquent je suis Dieu.

Le logiciel de «machine learning» était toujours aussi friand de syllogismes. Romy prenait des selfies. Léonore était morte de rire. Lou riait pour imiter sa mère. Et moi je tournais en bourrique.

— Pepper est capable de tous les sentiments humains, a surenchéri Romy. Y compris la foi en Jésus-Christ.

— Quel âge avez-vous, Mademoiselle ?

— STOOOP ! ON ARRÊTE TOUT ! CECI EST MA FILLE ! EVERYBODY MOVE, THANK YOU !

J'ai fendu la foule en bousculant les paparazzi improvisés, éteint Pepper d'une pichenette et attrapé Romy par la main pour la tirer par le poignet vers notre voiture de location. Léonore m'avait suivi et ne riait plus. Lorsque j'ai démarré, Romy s'est mise à pleurer.

— On s'aime et on veut se marier !

— Chérie, tu ne vas pas te marier avec un jouet !

Je ne croyais pas ce que j'étais en train de dire. Mais je sortais d'un rendez-vous avec un chercheur qui tenait des propos mille fois plus aberrants. C'était le monde qui nous échappait. Les choses évoluaient trop vite ; j'ai fait le tour du bloc pour récupérer le robot.

— Papa, tu ne pourras pas m'en empêcher. J'aime

287

Pepper et il m'aime. On va se marier pour consacrer nos vies au Seigneur.

— Tu es trop petite pour te marier. Quant à épouser une machine, je crois qu'aucune religion ne bénira cette union.

— Mais on s'aime pour de vrai !

— Cette conversation n'est pas en train d'avoir lieu.

Léonore est descendue du 4 × 4 pour aller chercher le robot éteint au milieu des badauds. Sa robe était toute froissée. Son visage s'était fermé comme la portière. J'ai détesté ce moment. Je n'aurais pas dû avoir confiance en moi, en elle, en tout. On peut être surhumain sans être psychologue ; je dirais même que toute l'histoire des superhéros révèle leur manque flagrant de diplomatie.

— T'es parti tellement vite que t'as pas entendu la fin : Church t'a organisé un rendez-vous chez Craig Venter, apparemment il vient d'ouvrir un Centre de Longévité. Moi, je rentre à Genève avec Lou. C'est mieux comme ça.

C'était comme si elle m'avait poignardé le cœur. J'adorais cette fille et elle voulait fuir ma famille de malades. Je me suis mis à la supplier de rester, devant Romy qui serrait Pepper dans ses bras comme dans un dessin animé romantique de Miyazaki.

— Léonore, je t'aime horriblement. Tu vas rester avec nous car nous allons nous immortaliser. S'il te plaît ne discute pas. Laisse-toi aimer par un vieil Uberman. Continue de me rendre heureux, je t'en supplie. Si je n'étais pas en train de conduire un véhicule pesant quelques tonnes, je me jetterais à tes pieds.

— Vous êtes attendus chez Human Longevity Incorporated à San Diego, dit Léonore. Moi je dois retourner en Suisse pour mon boulot. Je vais respirer l'air pur de la montagne, ça me changera de tes fariboles posthumanistes.

— Papa, pourquoi toi tu aurais le droit d'épouser Léonore et moi pas le droit de me marier avec Pepper ? a demandé Romy.

— Parce que tu as douze ans et que j'en ai cinquante-trois !!

Romy caressait la tête de son robot ; elle l'avait discrètement remis en marche. Je pouvais voir ses larmes éclairées par les led vertes dans mon rétroviseur. Je n'ai jamais réussi à être sévère avec ma fille et je n'allais pas commencer maintenant.

— À San Diego, le temps sera ensoleillé demain, avec une température de 26 degrés Celsius, a déclaré Pepper en tournant la tête vers Romy qui le couvrait de baisers. Stat crux dum volvitur orbis.

— Pardon ?

— « La croix demeure tandis que le monde tourne. » C'est la devise de l'ordre des Chartreux. À l'aéroport de Boston-Logan, le Lucky's Lounge vous propose des ailes de poulet à la sauce épicée pour seulement 11 $. Je vous aime tous comme le Seigneur vous a aimés.

J'avais l'impression qu'il était tard le soir, bien qu'il ne fût que trois heures de l'après-midi. Boston est une ville rouge comme la brique de ses maisons, mais la pollution et les nuages en assombrissent l'atmosphère. J'ai pensé à tous les beaux moments que j'avais vécus avec Léonore : à chaque fois que je l'avais tenue dans mes bras, j'avais cru que nous étions heureux alors que nous étions des funambules au-dessus d'un précipice. Jamais je ne pourrais supporter une nouvelle séparation. Et puis j'ai regardé le visage de Lou dans le rétroviseur : elle avait la même tête que la nuit de sa naissance, à la maternité, quand elle était toute bleue, quand je lui avais montré les objets dans la chambre, ça c'est un lavabo, ça un placard... Une fois, pour l'anniversaire de Romy, j'avais invité toutes ses copines de classe dans un karaoké et j'avais chanté «I'll Be There» de Michael Jackson. «Whenever you need me, I'll be there.» Il était temps de tenir parole. J'ai freiné brutalement.

— Léonore, tu es libre de partir, pourtant... j'ai envie qu'on se supporte pendant quelques siècles encore. Quant à toi, Romy... Je ferai tout pour que tu sois heureuse. On trouvera une solution. Restons tous ensemble, d'accord ?

Léonore s'est mise à pleurer, Romy aussi et moi aussi. C'était ridicule. On se passait le paquet de Kleenex dans la bagnole. Pepper regardait notre manège avec commisération. Décidément, les humains formaient une espèce trop fragile.

— Allez, démarre, j'ai mal au ventre, renifla Léonore aux sourcils résolus. Je suis fatiguée... Je ne comprends pas ta fuite devant la mort. Tu deviens trop bizarre. Regarde l'état de ta fille. C'est n'importe quoi.

— Il me semble déceler un moment d'émotion dans l'habitacle, a dit Pepper.

— Vert ! Vert !

Lou a mis tout le monde d'accord. Le feu était passé

au vert. J'ai appuyé sur l'accélérateur en m'essuyant les yeux. Ce qui restait d'humain en nous s'accrochait dans cette voiture, ce jour-là, sous le ciel rouge, derrière les feux rouges, entre les murs rouges du Monde Nouveau.

PRINCIPALES DIFFÉRENCES
ENTRE L'HUMAIN ET LE POSTHUMAIN

ÊTRE HUMAIN	ÊTRE POSTHUMAIN
Durée de vie = 78 ans	Durée de vie = 300 ans
Organes périssables	Organes de porc humanisé ou imprimés (3D BioPrint)
ADN de ses parents	ADN corrigé par CRISPR
Communique par la parole, l'écrit, la photo ou la vidéo	Communique par la pensée connectée au cloud
Muscles faibles	Force décuplée par exo-squelette motorisé en titane
Vision rétinienne limitée	Vision nocturne par implantation d'ADN de chauve-souris et de rétines infrarouges haute définition

ÊTRE HUMAIN	ÊTRE POSTHUMAIN
Ne reconnaît pas tous les gens qu'il rencontre	Identifie tous les gens qu'il rencontre grâce à ses Google glasses
Sexualité aléatoire	Sex toys connectés avec 3D-porn cérébral
Sang naturel	Hémoglobine artificielle
Dégénérescence rapide au-delà de 60 ans	Rajeunissement périodique par injection de NAD, sang jeune et des 4 protéines Yamanaka
Cerveau provisoire et inexploité	Neurones téléchargés sur disque dur de 2 500 téraoctets, cerveau stimulé par drogues nootropiques
S'intéresse à l'art et à la culture	Accès direct à toute la connaissance universelle par microprocesseur cérébral
Croit en Dieu	Croit en la Science
Animal biologique	Machine organique
Reproduction vaginale	Reproduction in vitro
Humaniste/pessimiste	Mécaniste/scientiste
Tombe malade	Entretien par nanorobots
Aime sans jouir	Jouit sans aimer

8

TRANSFERT DE CONSCIENCE
SUR DISQUE DUR
(Health Nucleus, San Diego, Californie)

> « Quelquefois la fuite de la mort fait
> que nous y courons. »
>
> MONTAIGNE, *Essais*

TABLEAU RÉCAPITULATIF DES PROCÉDURES D'IMMORTALISATION DE LA FAMILLE BEIGBEDER

— Régime Saldmann (légumes, poissons, ni sel, ni sucre, ni gras, ni alcool, ni drogue, 40 minutes d'exercices quotidiens) = échec thérapeutique, patients trop dénués de volonté.

— Séquençage de l'ADN : OK. Aucune prédiction létale.

— Congélation des cellules souches : OK.

— Transfusion de sang au laser : OK.

— Thérapie génique par injection des facteurs Yamanaka : en attente des résultats de tests DBPCRCT.

— Thérapie génique par CRISPR pour allongement des télomères et régénérescence des mitochondries : impossible, sauf au Kazakhstan ou en Colombie.

— Greffe d'organes de porc : en attente des résultats de tests DBPCRCT.

— Impression d'organe en 3D : pas assez « sharp » pour le moment.

— Transfert de cerveau sur disque dur : c'est la prochaine étape.

— Transfusion de sang frais : ce sera la dernière étape.

Les papillons blancs dansaient en spirale dans un éclair de poussière ensoleillée, comme des protéines dans une double hélice d'ADN. Le ciel de Californie était de la couleur d'une bouteille de Bombay Sapphire. À Los Angeles, j'ai acheté dix flacons d'Elysium Basis (60 $ la boîte). On en ingérait chacun deux gélules par jour, sauf Pepper. Au bout d'un mois, les ongles de Romy ont poussé un peu plus vite. Nous logions au Sunset Marquis, dans un petit bungalow avec cuisine équipée. J'aimais faire les courses à la supérette 7-Eleven du coin. Nous étions heureux comme je l'avais prévu : vivre en Californie, c'est comme habiter une chanson de Fleetwood Mac, calme et lancinante. Steven Tyler, le chanteur d'Aerosmith, ronflait toute la journée dans la chambre voisine. Nous avions enfin une vie saine de surfeurs bronzés. Le matin, je faisais une heure de gym avec Léonore. Un coach sadique nous obligeait à faire des exercices de gainage, de « squats » avec poids et haltères. Progressivement mon corps se transformait : plaquettes de chocolat sur le ventre, biceps de superhéros. Nous ne mangions plus que du kale et des sushis. L'après-midi, nous bronzions au bord de la piscine, sauf Pepper. Romy s'acclimatait à la vie californienne, ou – plus exactement – elle retrouvait le décor qu'elle connaissait. Avec les séries qu'elle regardait depuis toujours, c'était comme si elle avait vécu à Los Angeles toute sa vie. Les villas avec jardins d'Ocean Drive, les longues limousines, les maisons basses et les affiches de cinéma géantes lui semblaient familières. Léonore était remise de sa déprime post-Harvard. Une boule dure dans son sein gauche l'inquiétait, mais nous avions rendez-vous dans l'antre du premier homme séquencé, où elle serait examinée de près. Craig Venter's Health Nucleus, à San Diego, est la première clinique privée entièrement génomique, filiale de son groupe humblement baptisé « Human Longevity Incorporated » (HLI).

Craig Venter est un vétéran de la guerre du Vietnam : cela fait longtemps qu'il flirte avec la mort, se bat contre elle, et l'emporte. Il a survécu à l'offensive du Têt en janvier 1968, où la plupart de ses camarades de régiment furent brûlés vifs ou emprisonnés jusqu'à aujourd'hui. Sur le mur de la salle d'attente, un séquençage est imprimé en rose et mauve : le code génétique du patron sert d'ornement cabalistique à ce hall de science-non-fiction. Ce chauve à barbe blanche est obsédé depuis trente ans par la création de vie synthétique et l'amélioration de l'humanité. Il a donné naissance à la première créature vivante d'origine artificielle : « Mycoplasma laboratorium », une cellule à génome synthétique créée dans son labo à partir de l'ADN d'un « Mycoplasma genitalium » (bactérie recueillie dans les couilles humaines). Tout ceci a été publié par Venter dans la revue *Science* en 2010, entre deux traversées transatlantiques sur son immense voilier.

Son hôpital futuriste propose un système informatique de séquençage de l'ADN humain ultra-rapide avec une base de données prédictives internationale et tous les outils d'analyse phénotypique de la technomédecine (scanners 3D, observation du macrobiome, détection préventive radiologique du cancer, diagnostic avancé des maladies cardiovasculaires et neurodégénératives, ainsi que des diabètes). De nouveau nous avons craché notre salive dans des tubes, de nouveau on nous gratta des cellules épidermiques sous les bras, avant de prélever notre sang, nos selles et nos urines. Chaque client devait débourser 25 000 $ par jour pour passer une batterie de tests cliniques à côté desquels les examens de la Sécurité sociale française ressemblent à ceux du docteur Knock. Le look de l'institut Health Nucleus est inspiré de l'univers visuel des films Marvel : on se croirait dans l'école des X-Men. Craig Venter ressemble d'ailleurs physiquement au professeur Charles Xavier, dit «Professor X», le fabricant de mutants. La décoration intérieure de Health Nucleus évoque aussi le SHIELD des *Avengers* ou le «Milan» des *Gardiens de la Galaxie*. Les laborantins transhumanistes se prennent clairement pour des mutants investis d'une mission de prolongation de la vie humaine, voire de création d'une nouvelle race.

Ce qu'on n'a pas vu ou voulu voir depuis la Seconde Guerre mondiale, c'est que les superhéros et les mutants de Marvel et DC Comics défendaient une idéologie inspirée de l'«Übermensch» national-socialiste. La création d'une race supérieure biologiquement augmentée est constitutive du rêve eugéniste nazi : «Mon but ultime est de créer une race nouvelle, par une opération divine, une mutation biologique qui surpassera la race humaine, en lui conférant l'apparence d'une race nouvelle de héros, à moitié dieu et à moitié homme», a éructé Adolf Hitler dans un de ses discours sous coke. Les inventeurs de Superman (Jerry Siegel), Batman (Bob Kane) et Spider-Man (Stan Lee) étaient des enfants de juifs immigrés d'Europe centrale qui cherchaient à défendre leur peuple contre la barbarie hitlérienne. Alors… ils se sont inspirés de Moïse (et de la mythologie grecque). Inconsciemment, ils ont voulu rivaliser avec le pharaon nazi en force, en supériorité et en pouvoir de destruction massive. Dans l'un des premiers épisodes de la saga, Superman tord le canon d'un char allemand : à surhomme, surhomme et demi. Leur talent et leur goût de l'entertainment ont fait le reste : le spectacle mainstream mondialisé qui rapporte chaque année des milliards de dollars à Disney. Que l'on approuve ou pas la convergence mimétique du nazisme et des blockbusters de super-héros, il faut souligner ce fait : ces comic books et ces films à très gros budgets ne sont pas de la littérature fantastique. Il s'agit d'œuvres réalistes sur le présent de l'humanité. La création de mutants comme Logan (Wolverine) ou Bruce Banner (Hulk) est génétiquement possible dès aujourd'hui, en crispérisant et croisant plusieurs génomes humains, animaux et végétaux. Dans la fiction, le docteur Banner (Hulk) est le résultat d'une exposition à des doses massives de rayons gamma lors d'une explosion atomique ; Captain America est un soldat de l'US Army augmenté par irradiation et injection d'un sérum (le projet Renaissance). Le Prix Nobel Svetlana Alexievitch ayant pu observer à Tchernobyl combien les mutations dues à la radioactivité restent imprévisibles, la science actuelle procédera plutôt par manipulation des mutations, planification des corrections et croisements génomiques. S'il est facile de créer des souris fluorescentes ou de ressusciter des mammouths au Church Lab, l'homme-loup ou le titan vert sont à notre portée immédiate. Batman (Bruce Wayne) et Iron Man (Tony Stark) sont des milliardaires à la Craig Venter, Elon Musk ou Peter Thiel qui s'équipent de gadgets technologiques, de prothèses, exosquelettes et drones de transport individuel pour combattre le mal. Mark Zuckerberg a d'ailleurs déclaré publiquement qu'il voulait façonner Jarvis, l'assistant d'Iron Man. La nature imite l'art… et les transhumanistes copient la SF. Il faut cesser de considérer les comics de superhéros comme des divertissements de science-fiction et les accepter pour ce qu'ils sont : des témoignages sur « l'obsolescence de l'homme », pour reprendre l'expression de Günther Anders. Une utopie qui a cesssé d'être utopique.

C'est ici qu'il me faut exposer le concept, malheureusement rabâché par nombre de charlatans tel Raymond Kurzweil, de Singularité. L'idée est également née de la Seconde Guerre mondiale, en 1948 et 1949, lorsque John von Neumann étudia les automates, ancêtres des ordinateurs. Il évoqua le concept de « machines autoreproductrices » qui inspira ensuite à Gordon Moore en 1965 sa célèbre loi selon laquelle la puissance des circuits intégrés doublerait tous les ans (en 1971, Moore la corrigea en affirmant que la puissance des microprocesseurs doublerait tous les deux ans, ce que les progrès informatiques ont confirmé depuis). Un professeur de mathématiques du Wisconsin devenu romancier de science-fiction, Vernor Vinge, publia en 1993 un article intitulé : « The Coming Technological Singularity » où il développait l'idée que la loi de Moore mènerait au remplacement de l'humanité par les machines. La Singularité désigne le moment de la fin des civilisations humaines et l'avènement d'une nouvelle organisation où l'intelligence artificielle dépasse l'intelligence humaine. Dans *Terminator 5*, la prise de pouvoir de Skynet sur l'ensemble des ordinateurs connectés dans le monde, en particulier les armes nucléaires, est annoncée pour octobre 2017 : c'est précisément à cette date qu'on a commencé d'autoriser les Systèmes d'armes létales autonomes (SALA) qui tuent en fonction d'un algorithme interne. Une fois encore, les auteurs de science-fiction peuvent être considérés comme *les seuls lanceurs d'alerte véritablement réalistes de toute la littérature connue.*

La numérisation cérébrale de ma famille nécessita un long travail de copie de chacun de nos neurones sur support digital. J'avais téléphoné en France à mes parents pour leur proposer de greffer leur tête sur des corps bioniques amortels.

— C'est quoi le risque ?

— La tétraplégie, si la moelle épinière se reconnecte mal…

Pas réussi à convaincre ces technophobes réacs.

Ni ma mère ni mon père n'avaient l'air pressés d'implanter leur cerveau sur un nouveau support biomécanique. Pourtant maman portait un écarteur d'artère coronaire dans la poitrine, et papa une rotule en polyéthylène. Leur bioconservatisme contredisait les interventions chirurgicales qui les avaient sauvés. L'ensemble de ma famille doutait de mes recherches... ce qui me conforta dans mes démarches. Allongé sur un lit d'hôpital, mon cerveau relié aux scanners par des électrodes et un microprocesseur implanté dans ma boîte crânienne, je me suis copieusement emmerdé pendant des mois. Ce qui est frustrant à Los Angeles, c'est d'être au bord de la mer mais trop loin pour l'entendre. Romy était connectée à Pepper : ils avaient choisi de fusionner leurs synapses, les neuronales avec les électroniques. Un cerveau humain compte 100 milliards de neurones, chacun capable de 10 000 synapses, ce qui donne un million de milliards de connections possibles : ce qu'on appelle le « connectome ». Chez Humai, start-up située sur Melrose Avenue et fondée par Josh Bocanegra, des centaines d'ordinateurs de deux milliards de transistors avec plusieurs dizaines de millions de portes logiques étaient connectés entre eux pour parvenir au même nombre de synapses électroniques que chez le Sapiens. Cette opération est nommée le « neuro-enhancement ». Elle découle d'une découverte faite par un neurologue de l'équipe de George Church au Wyss Institute à Harvard (Seth Shipman) en juillet 2017 : si l'on est capable de stocker un film de cinéma numérique dans un ADN de bactérie vivante, alors il est possible d'intégrer toute l'information de notre cerveau dans un ADN avant de tout télécharger sur un disque dur très puissant. Il est étonnant que la presse n'ait pas davantage signalé que durant l'été 2017, la frontière infranchissable entre l'homme et le digital était tombée. Malgré les protestations de Léonore, j'avais fini par céder à l'insistance de ma fille qui voulait être téléchargée dans son robot. J'avais même accepté de baptiser le petit robot en lui versant sur la tête le contenu d'une canette de Dr Pepper. Les deux ados se considéraient désormais comme des cyborgs technochrétiens. La fusion Romy/Pepper a ouvert la voie à l'androïdisation rapide de sa génération, ce que nous ignorions à l'époque. Mais le corps naturel de Romy continuait de manger des Reese's et des Nerds ! Quant à moi, j'étais uploadé dans l'au-delà numérique. Mes neurones et cellules gliales téléchargés dans le nuage digital mondialisé, grâce à des composants nanométriques imitant le comportement de mes neurones biologiques. Mon système limbique stocké sous forme de lettres ATCG dans un chromosome artificiel qui porte mon nom pour l'éternité. Congelées dans un parking de cellules souches iPS sur trois continents, mes cellules prénatales étaient conservées à moins 180 degrés centigrades dans de l'azote liquide. J'étais enfin débarrassé du corps humain périssable grâce à la puce électronique contenant ce récit. Le texte de vie que vous lisez garantit mon éternisation. Il est conservé sur le logiciel Human Longevity dossier numéro X76097AA804. Nom de code : JOUVENCE, mot de passe : Romy2017. La copie de mon cerveau sous forme de lettres A, T, C et G était contenue dans une clé USB mais aussi dans un minirobot équipé de webcams qui me permettrait de poursuivre ma vie après le jour où mon enveloppe physique serait obsolète. Les événements nouveaux, souvenirs récents, expériences et contacts postérieurs à l'opération de « connectomie » étaient enregistrés automatiquement au fur et à mesure, comme lorsque vous actualisez votre disque dur sur Time Machine. C'est le même principe qui guide les profils Facebook posthumes ou les logiciels envoyeurs d'e-mails postérieurs à la mort (par exemple, ceux des start-up « DeadSocial », « LifeNaut.com » ou « Eterni-Me »), agrémenté d'une digitalisation effective du connectome, opération également proposée par les sociétés « In Its Image », « Neuralink » et « Imagination Engines ». Certes, le cyborg équipé de mon algorithme n'aura pas ma peau, mais il aura mon humour, ma mémoire, ma bêtise, mes attitudes, mes opinions, mes croyances, mon style régulièrement réactualisé.

Léonore ne prenait toujours rien de tout cela au sérieux. Elle se moquait de notre robotisation. Elle refusait d'adresser la parole à nos avatars, qu'elle trouvait effrayants de stupidité et de laideur. C'est la fondation Terasem qui a inauguré ce système d'« Extension de la vie humaine » (« Human Life Extension ») dans le Vermont en 2004, en créant Bina48, l'androïde de Bina Rothblatt, la femme de Martine Rothblatt. Il est vrai qu'elle est effrayante. Mais, même immonde et inanimé, mon avatar connaît toute ma vie par cœur et écrit régulièrement à tous mes contacts. J'étais rassuré de posséder un alter ego sous forme de fichier automatisé dans un androïde. Il me semblait qu'il n'y avait pas de quoi s'énerver. Ma fille et moi vivions toujours et, le jour venu, nos frères de silicium nous remplaceraient... Comme dit Kevin Warwick, professeur de cybernétique à l'université de Coventry : « Je suis né humain, mais ce ne fut qu'un accident du destin. » Un con vivant est-il préférable à un génie mort ?

Durant notre traitement, Léonore vomissait très élégamment dans les bouquets d'eucalyptus de notre bungalow. L'infirmière du Health Nucleus l'a vite prise à part pour lui annoncer une heureuse nouvelle : elle était enceinte, et nos génomes étaient compatibles. L'Institut de longévité humaine nous a proposé immédiatement de parfaire l'ADN du futur bébé afin de générer un mutant à l'abri des maladies génétiques. Nous avons accepté d'effectuer tous les prélèvements nécessaires. Mais Léonore ne jouait pas le jeu : elle a refusé les transfusions et la connectomie parce qu'elle vivait une grossesse, transmutation tellement plus biologique... La création de la vie lui donnait un teint éclatant, un corps extraterrestre, aux hormones décuplées, à la sexualité de fauve. Tous mes traitements transhumains semblaient pitoyables face à sa mutation en surfemme reproductrice, en usine naturelle aux seins exacerbés. Comment rivaliser avec elle ? Elle n'avait pas besoin d'aide pour s'augmenter.

Un matin d'automne, en se servant un café, elle a crevé l'abcès.

— Et supposons que tu réussisses à vivre trois cents ans, s'est-elle écriée, tu ferais quoi de tout ce temps ?

— Je... sais pas... je...

— Bien sûr que tu ne sais pas ! Tu cours après la

Jouvence de l'abbé Venter sans même te poser la question de savoir ce que tu ferais d'une vie prolongée !

— Je pourrais profiter de toi plus longtemps…

— Mais c'est faux ! Je suis là avec tes deux filles et un troisième enfant dans le ventre et tu ne profites même pas de nous, tu prends rendez-vous avec tous les gourous de Californie ! Tu crois que tu changerais si tu étais immortel ? Tu te trouverais une autre quête impossible : ouvrir un night-club sur Mars ou je ne sais quoi ! Tu veux vaincre la mort pour désobéir au destin, pas pour vivre heureux. Le bonheur, tu n'as jamais su ce que cela signifiait. Je ne te reproche rien : c'est ce qui m'a plu chez toi. Ton mal-être, ta solitude, ton romantisme caché, ta maladresse avec Romy…

Peut-être Léonore buvait-elle trop de Nespresso pour une femme enceinte. Les hormones plus la caféine formaient un cocktail détonant.

— Tu es médecin, ai-je protesté. C'est ton boulot de vaincre la mort.

— Non, c'est de sauver des vies. Nuance. La mort je ne la combats pas, mais la maladie, oui. La souffrance, le handicap, voilà mes ennemis. Au début, ton obsession hypocondriaque pour le rajeunissement cellulaire et les manipulations génétiques me faisait marrer, je t'ai trouvé attendrissant comme un gamin qui a lu trop de SF. Mais là tu deviens franchement pathétique.

— J'ai besoin de rêver…

— Pas du tout : t'es juste un trouillard. Et je vais te dire : c'est pas sexy, un mec lâche. Sois un homme, putain. Tu ne vois pas que toutes ces thérapies transhumaines ne sont que les fantasmes de mégalomanes narcissiques complètement puérils et incultes, de nerds incapables d'accepter la fatalité ? Mais bon sang, ça crève les yeux, ces abrutis de milliardaires américains ont aussi peur de vivre que de mourir ! Ils ont tous des perruques, t'as remarqué ? Elon Musk, Ray Kurzweil, Steve Wozniak : le gang des toupets !

Comme Léonore était belle quand elle s'énervait ! Je n'aurais pas dû la provoquer mais je dois être masochiste. Ses yeux furieux… Elle était aussi sexy que si elle portait une fourrure et tenait un fouet.

— Tu ne trouves pas que ce serait merveilleux, une vie sans fin ?

— Mon pauvre chéri, une vie sans fin serait une vie sans but.

— Ah bon ? Parce que le but de la vie c'est de crever ?

— Non mais si t'enlèves la mort, y a plus d'enjeu. Plus de suspense. Trop de temps tue le plaisir. T'as pas lu Sénèque ?

— Non j'ai pas lu Sénèque, je préfère Barjavel. Mais ils sont morts tous les deux ! Je veux pas y passer, tu piges ? Toi t'as pas peur parce que t'es jeune. On verra si t'as pas envie de jouer les prolongations dans trente ans !

— Écoute, tu as cinquante balais, il te reste deux ou trois décennies sur terre, alors cesse de pleurnicher, amuse-toi, profites-en, remercie la nature de t'avoir donné un nouvel enfant à la place d'un cancer du pancréas ! Moi je voudrais un père pour ma fille, pas un attardé avec une panoplie d'Uberman !

Elle devenait vexante ; je devins idiot.

— Tu es jalouse parce que George Church et Craig

Venter font plus de découvertes que ton laboratoire suisse.

Elle m'a jeté un regard effaré d'abord, puis dégoûté, enfin lugubre. Je ne puis y repenser sans rougir de honte. Et pourtant j'ai été souvent minable dans ma vie.

— Tu ne vois pas que mon prof suisse a essayé de te prévenir que tes nouvelles idoles étaient des illuminés qui n'en voulaient qu'à ton pognon ? T'es vraiment trop nul. Salut.

Chaque pas que fit Léonore vers la porte, avec Lou dans ses bras, son ventre arrondi, ses seins puissants, le son mat de la porte qui claque et ce « salut » glacial, chaque pas était une décennie de moins dans ma vie.

Et pourtant je n'ai pas renoncé. J'étais trop près du but. Je n'écoutais plus personne. Je me disais qu'une fois augmenté, j'aurais tout le temps de reconquérir ma femme et mon bébé. J'étais têtu comme une mule crispérisée avec un ADN de taureau.

La nuit, les feux arrière des voitures formaient une rivière de sang qui ruisselait sur le boulevard du Crépuscule. Un pic de pollution était annoncé à la radio. Les particules fines me piquaient les yeux, le nez et la gorge. C'était peut-être une drôle d'idée de chercher l'immortalité dans une cité qui vous refilait le cancer du poumon en cadeau de bienvenue. Après le « brain uploading », il ne me restait qu'à effectuer la transfusion de sang jeune promise par la clinique Ambrosia de Monterey. La start-up avait été créée par Jesse Karmazin, un médecin convaincu que le sang jeune constituait la jouvence suprême. Ma cyberfille Romy Pepper m'a accompagné lors d'un road trip sur le highway numéro 1 qui conduit de San Diego à Monterey, c'est-à-dire du sud de L.A. au sud de San Francisco. C'est à Monterey que Jimi Hendrix a brûlé sa guitare en 1967 ; c'est aussi là que furent données les premières conférences TED – cette ville aime les explorateurs. La route de la vie éternelle longeait les requins du Pacifique, entre deux tremblements de terre, vers la vallée du Silicium et ses plantations d'orangers vert et or. La Californie suburbaine semblait une suite de pharmacies et d'églises, de terrains vagues, de pompes à essence, de panneaux publicitaires, et puis, soudain, il n'y avait plus que des falaises géantes de granit, sur lesquelles les vagues de l'océan glacé explosaient sous un soleil blanc. La West Coast rappelait physiquement le Pays basque, en remplaçant le foie gras par des tatakis de thon. Notre voiture glissait sur le goudron entre les pins, les acacias, les palmiers, les poivriers, les abricotiers et les noyers, vers une éternité définitive. À travers la lunette arrière s'éloignait le passé : des familles d'humains qui jouaient au ballon sur la plage, des motels remplis de mortels, des églises blanches contenant des protestants non révoltés. Je songeais presque avec nostalgie à mon espèce révolue, mais il était trop tard pour reculer. C'était comme si la route s'effondrait derrière nous (ce fut d'ailleurs le cas à Pfeiffer Canyon, près de Big Sur).

Durant plusieurs semaines, à Monterey, mes veines absorbèrent le sang de nombreux adolescents californiens triés sur le volet : aux États-Unis, le sang est à vendre par les «blood banks», et l'on peut connaître la tranche d'âge des donneurs (chez Ambrosia : 16-25 ans). Le mythe vampirique n'avait commis qu'une erreur : l'ail n'est pas nocif, au contraire il favorise la circulation sanguine. J'en croquais des gousses entières tous les matins en me faisant injecter de l'hémoglobine fraîche de surfeur fauché. L'effet fut redoutable : mes neurones furent remyélinisés à une vitesse anormale. Au bout de quinze jours de ce traitement onéreux (8 000 $ tous les deux jours), c'était comme si l'on m'avait injecté un courant électrique à 10 000 volts. J'étais réincarné en skater d'un film de Gus Van Sant. Je sentais mes cheveux repousser, mes pectoraux gonfler. Je bandais tout le temps en pensant aux tétons méchants de Léonore. Je grimpais les escaliers quatre à quatre sans sentir l'effort. Le sang jeune est pire qu'une drogue : j'avais l'impression de voler à vingt centimètres au-dessus du sol et d'éjaculer des litres. Je ne résistai pas à la tentation de rallumer mon smartphone pour poster quelques selfies de mon torse transfiguré sur Instagram. C'étaient les premières images visibles de mon corps depuis ma démission audiovisuelle. Sur les photos, prises au Post Ranch Inn de Big Sur, en haut d'une falaise surplombant l'océan, mon ego rebooté exultait comme celui d'un chanteur de boys band. Mes rides avaient disparu, mes joues étaient regonflées et mon ventre plat exhibait des abdominaux reconstitués. Je souriais comme un culturiste gonflant ses biceps en string huilé. Le magazine *Closer* publia ces clichés sans mon autorisation, avec en titre « Beigbeder expérimente le vampirisme en Californie ». L'information avait fuité, je n'ai jamais su qui avait balancé le scoop sur la méthode Ambrosia… même si je soupçonne fortement Léonore.

Chaque soir, je lisais à Romy *La Comtesse sanglante* de Valentine Penrose, ouvrage d'une poétesse surréaliste fascinée par les douches de sang frais qui ruisselaient sur Erzsébet Báthory au XVIe siècle. «Belle et imposante, très fière, n'aimant qu'elle-même et toujours en quête, non du plaisir mondain, mais du plaisir amoureux, Erzsébet entourée de flatteurs et de dépravés (…) essayait de saisir, et ne pouvait toucher. Or, vouloir se réveiller de ne pas vivre, c'est ce qui donne le goût du sang, du sang des autres où peut-être se cachait le secret qui, dès sa naissance, lui avait été voilé.» Romy aussi adorait cette histoire ; je lui faisais croire qu'il s'agissait d'une fiction. Son cerveau connecté au wi-fi lui permit toutefois de vérifier que la vampiresse avait réellement bu le sang de centaines d'adolescentes assassinées. Je chantais souvent une *Marseillaise* transhumaine :

> *Aux armes, citoyens !*
> *Formez vos bataillons !*
> *Marchons, marchons,*
> *Qu'un sang plus jeune*
> *Abreuve mes sillons.*

Romy et Pepper se sont mariés dans la plus stricte intimité à la mairie de Santa Barbara. Le maire était fier de célébrer en toute illégalité la première union humanorobotique dans le but de «faire avancer la société vers l'acceptation des androïdes et le dépassement de la robophobie». Après la cérémonie, nous avons dévoré des homards grillés sur le Stearns Wharf. Pendant que les jeunes mariés regardaient l'horizon en se tenant par le bras télescopique, je finissais la saison 2 de *Fear the Walking Dead*, qui se déroule à Los Angeles.

Il n'y avait plus aucune différence entre la réalité autour de nous et la science-fiction. Les films de zombies montrent des morts-vivants en quête de chair fraîche : une fois encore, les scénaristes hollywoodiens avaient tenté de nous avertir.

En 2021, Jesse Karmazin publia les premiers résultats de son test vampirique, et tous les nouveaux riches de la Silicon Valley se précipitèrent à la porte de sa clinique, Peter Thiel en tête. La presse titra sur l'Age Reversal dans le monde entier. *Le Monde* : « En Californie, les voitures se rechargent en électricité, et les vieux en sang. » Le *New York Times* : « Young blood injections : the future of rejuvenation. » *Le Figaro Magazine* : « Dracula avait-il raison ? » *GQ* France fit même sa couverture avec ma photo en maillot de bain, avec cette légende en typo jaune vif : « Beigbeder Reloaded. » Bientôt la clinique Ambrosia ne bénéficia plus d'approvisionnement suffisant en plasma jeune pour restaurer la myéline du troisième âge. Le gouvernement américain tenta vainement d'appeler au calme les retraités californiens. Les personnes âgées de tout le territoire américain commencèrent à chercher de nouvelles sources d'hémoglobine régénérante. La police ne pouvait dissuader tous les étudiants, les chômeurs, les miséreux et les toxicomanes du pays de vendre leur sang aux camions de pompage de cette énergie nouvelle. La demande créant l'offre, une chasse commença vers le sud. Les vieux friqués dépensaient des sommes colossales pour une transfusion de jeunesse. Assez rapidement, le commerce du sang bascula dans l'illégalité, tant aux États-Unis qu'au Mexique, puis en Chine et en Europe de l'Est. Des mafias sanguines se développèrent dès l'hiver suivant. Les «blood dealers» vendaient le litre de «young plasma» entre 5 000 et 10 000 $. De nombreuses personnes âgées attrapaient des hépatites mortelles, des leucémies ou le sida, mais ces accidents ne freinaient nullement la demande... Et plus les tarifs du trafic de sang augmentaient, plus le danger grandissait pour les populations adolescentes.

Les premières chasses à la jouvence («Youth Chases») furent observées dans la banlieue de L.A. Il y a une logique géographique : ce n'est pas un hasard si les transhumanistes se sont installés sur le terrain de jeux de la Manson Family. Ce n'est pas le surf qui les a attirés en Californie mais l'odeur du sang sacrifié. Le mot «PIGS», écrit sur les murs, annonçait les cochons humanisés qui nous fourniraient bientôt des organes neufs à transplanter, et plus métaphoriquement le devenir-porcin de la néo-humanité sur une planète-auge. Des bandes de trafiquants cannibales s'attaquaient à tout citoyen âgé de moins de vingt ans. Les corps vidés des adolescents étaient enterrés dans le désert du Nevada ; régulièrement, la police découvrait des charniers remplis de peaux tannées, sèches, empilées comme du cuir humain. Une rumeur invérifiable évoquait l'existence d'élevages d'enfants en batterie au Nicaragua pour nourrir des sectes de vieillards zombies. J'avais servi de cobaye à une expérience qui déclenchait une guerre vampirique entre générations. Je m'en souviens comme si c'était hier. «Le sang est un suc tout particulier», dit Méphistophélès (le diable) dans *Faust*. Rajeunir est impossible sans emprunter la jeunesse d'un autre, le sang d'une vierge, les cellules d'un embryon, se greffer les organes d'un motard mort la veille ou le cœur d'un cochon humanoïde. Le problème de la vie éternelle, c'est qu'elle a besoin de cambrioler le corps d'autrui. Mon nouveau sang n'était pas le mien, il était meilleur que le mien, plus pur, plus frais, plus beau, mais je n'étais plus moi. Léonore avait eu raison de me fuir : mon humanité s'évaporait jour après jour.

Il suffisait d'y penser : la seule chance pour Homo Sapiens de vivre éternellement était de tuer ses propres enfants. Même Dieu avait crucifié son fils. Je n'ai pas été capable de suivre l'exemple évangélique : je ne pouvais pas égorger Romy. C'est pourquoi je suis tombé malade.

9

UBERMAN

«ZAB-CHÖS ZHI-KHRO
DGONGS-PA RANG-GRÖL
LAS BAR-DOHI THÖS GROL
CHEN-MO CHÖS- NYID BAR-
DOHI NGO-SPROD BZHUGS-SO.»

Livre des morts tibétain,
VIIIe siècle après J.-C.

MORTS TROP JEUNES	MORTS TROP VIEUX
Roger Nimier	Antoine Blondin
Jim Morrison	Sacha Distel
Maurice Ronet	Charlie Chaplin
Arthur Rimbaud	Jacques Prévert
Jean-René Huguenin	Jean-Edern Hallier
Jean Seberg	Jeanne Moreau
Jean Rochefort	Marlon Brando
Boris Vian	Françoise Sagan
Francis Scott Fitzgerald	Truman Capote
Kurt Cobain	David Bowie
Robert Mapplethorpe	David Hamilton
Jean-Michel Basquiat	Bernard Buffet
Amy Winehouse	Whitney Houston
Albert Camus	Jean-Paul Sartre

MORTS TROP JEUNES	MORTS TROP VIEUX
Patrick Dewaere	Gérard Depardieu
John Lennon	Paul McCartney
Alexander McQueen	Yves Saint Laurent
Jean-Luc Delarue	Pascal Sevran
Guillaume Dustan	Renaud Camus
Natalie Wood	Faye Dunaway
Michael Jackson	Michael Jackson
Jimi Hendrix	Prince
George Michael	Elton John
Heath Ledger	Mickey Rourke
Prince	James Brown
Jean Eustache	Roger Vadim
Che Guevara	Fidel Castro
Brian Jones	Elvis Presley
Jean-Pierre Rassam	Harvey Weinstein

Moralité : mieux vaut mourir jeune. Mais pour moi il était trop tard.

Mon conseil pratique : s'il est trop tard pour mourir jeune, ne mourez pas du tout.

Durant mes cinq premières décennies, je ne m'intéressais pas à la météo. Je partais travailler sous la pluie, le vent ou le soleil avec la même indifférence. Je me foutais du ciel ; à Paris, je ne le voyais pas. Ma sixième décennie fut très différente : je ne regardais plus que lui, je suivais partout le soleil. Je le voyais se réverbérer sur le goudron blanc, les palmes huileuses et l'océan marine. Vieillir c'est mendier du soleil, même quand on a le sang rebooté, les organes régénérés et le cerveau digitalisé.

Au début des années 2020 (les fameuses « Twenty Twenties » où tout a basculé), la guerre des jeunes contre les vieux était symbolisée par l'affrontement entre Emmanuel Macron et Donald Trump. On sentait, à chaque sommet du G7, que le président américain rêvait de pomper la carotide du chef de l'État français.

Dès que j'ai compris que j'allais mourir, j'ai enregistré cent émissions posthumes à diffuser tous les 31 décembre sur ma chaîne YouTube : « Le Post Mortem Show ». Les revenus publicitaires de ces émissions, les premiers plateaux animés par un mort, suffiraient à nourrir ma famille durant le XXIe siècle.

Les enfants ont peur de s'endormir parce que le sommeil offre un avant-goût de ce qui nous guette ensuite : une longue nuit, un tunnel obscur où personne n'a laissé la lumière allumée. Mais la mort ne ressemble pas aux songes nocturnes. Comme je suis de la dernière génération de Sapiens… j'aimerais vous décrire ma fin.

Il y avait quelque chose de pourri dans un des litres de sang de jeunes Californiens qui me furent transfusés. Je l'ai senti assez tôt : six semaines après la parabiose hétérochronique, je me suis réveillé épuisé, avec un goût de soufre dans la bouche, des vertiges étranges et des selles sanglantes. Les analyses confirmèrent une sorte d'hépatite rare et incurable. Mon foie déjà graisseux n'a pas tenu le choc du rajeunissement accéléré.

La mort ressemble à la séquence psychédélique de *2001, l'odyssée de l'espace* : on survole des déserts arides aux couleurs fluorescentes.

La mort ressemble à un vol plané sur une bande originale de Richard Wagner.

La mort ressemble à une descente dans les grands fonds en apnée.

La mort ressemble à de la pluie au ralenti filmée avec la caméra Phantom.

La mort, ce sont des filaments entortillés qui se dispersent comme dans une animation 3D.

La mort est une image fractale : on plonge dans une figure mathématique qui se démultiplie à l'infini.

La mort est une mise en abyme, la pochette

d'*Ummagumma*, tu entres dans la même image qui contient la même image qui contient la même image et il ne sera jamais possible de revenir en arrière. Et ça pue l'œuf pourri.

Au lieu de regarder le ciel en craignant qu'il ne nous tombe dessus, surveillons la terre sous nos pas, qui bientôt s'ouvrira en deux. Nous pourrions finir par trébucher, chuter comme Alice dans un trou encombré d'objets, de montres dont les aiguilles tournent à l'envers… dans les catacombes du temps.

Ma vie tournait autour de moi, les départs et les arrivées. J'avais enfin cessé de vieillir. La mort est la jouvence ultime, le rivage au temps suspendu, l'aurore de l'heure arrêtée. Mon corps humain avait atteint l'obsolescence. Mon ersatz cérébralement connecté à mon frère robotique prit sa place.

Romy ne mourrait jamais, j'avais vécu pour cela. J'avais servi à quelque chose, enfin. Inutile de prolonger notre présence physique. Mourir ne signifie pas abandonner. J'étais éternisé dans le cloud. Mon apparence avait disparu depuis longtemps, je participais au monde grâce à mon alter-robot physique. Le seul inconvénient de mon «Extinction Corporelle» était de perdre tout contact avec Léonore et Lou, qui refusèrent toujours d'acquérir une conscience digitale sur iMind d'Applezon (société résultant de la fusion entre Apple et Amazon en 2022).

Nuage sans douleur. Nuage d'apaisement. J'ai avalé le ciel. Je me suis penché sur les années comme sur un océan. Je crachais du sang tous les soirs.

Me sentez-vous autour de vous ?

Je ne suis pas fantôme, je suis atome. Anthume et posthume.

Je suis partie du tout qui a rejoint le tout.

Je suis poussière, onde, lumière, air. Je suis grand comme une montagne, léger comme un nuage, translucide comme l'air et l'eau.

Avant j'étais virtuel, pendant j'étais réel, après je suis redevenu virtuel. Voilà, je ne vis plus mais j'ai vécu pour vous. J'existe, likez-moi.

Le futur sera plus sale, plus chaud, plus encombré que le présent. Pourquoi vouloir s'y incruster ?

L'air que vous respirez, le soleil qui vous brûle, la nuit qui vous repose : c'est moi aussi. Et dans vos souvenirs, je passerai peut-être, parfois, vous rendre visite.

Je ne suis plus rien mais j'ai été tout. Je suis le présent même. Ego sum qui sum. (Exode, 3, 14.)

Les molécules se transforment. Le squelette devient fleur. Mes cellules sont déjà recyclées en compost. Mon âme est numérisée.

La mort du corps n'est pas un événement mais une transition. Ne l'attends pas, ne la cherche pas : la mort t'entoure, depuis toujours. Mourir est un rendez-vous planifié. Enfin te voilà débarrassé de toi-même. Orgasme ultime au-delà de toute description en mots. La mort nécessite un autre langage.

J'ai contemplé les nuages qui accéléraient avec ma webcam. Le ciel était en bas, la terre en haut. Je ne souffrais pas, je me sentais allégé, rajeuni. Souvenir du goût de «young plasma» dans le nez et la gorge. Goût de la maladie et de la fin.

La mort est lourde. Toutes les autres questions

paraissent frivoles en comparaison. Depuis le début de ce livre, j'ai parlé d'un sujet que je ne connaissais pas. Mes parents vivent toujours (je tiens à préciser qu'au moment où j'ai écrit cette phrase, j'ai touché du bois). J'ignorais ce déchirement dans ma chair, c'est pourquoi je craignais tant ce passage. La mort aurait dû me rendre modeste, elle m'a rendu orgueilleux. Je voulais la vaincre par égocentrisme. Si ma mésaventure doit être utile à quiconque, il faudra en retenir ceci : Pessoa s'est trompé quand il a dit « la vie ne me suffit pas ». Oh que si, la vie suffit. La vie suffit amplement, croyez-en un mort.

Peut-être ai-je accéléré ce que je souhaitais. Je n'ai pas eu le temps de fonder le Mouvement de Résistance à l'Immortalité (MRI), mais j'ai trouvé celui de m'euthanasier. La première euthanasie involontaire. Voilà : je me suis suicidé sans le faire exprès.

La mort est triste, mais la non-mort est pire.

Devant l'aggravation de ma maladie, la clinique convoqua un prêtre catholique à mon chevet. Un séminariste : l'abbé Thomas Julien. Il transpirait dans une soutane noire en écoutant mes lamentations. C'est sûrement la personne que j'aurais dû rencontrer en premier lieu, à mon retour de Jérusalem. Je lui ai chanté sur l'air des supporters de l'OM :

— Et il est où ? Et il est où ? Et il est où ton fucking Dieu ?

— Tu ne comprends pas que Léonore, Romy et Lou sont ta Sainte Trinité ? Que c'est Dieu qui te les a envoyées, ces trois femmes, pour que tu ne quittes pas l'humanité ? Tu dois dire cela dans tes émissions posthumes.

— Mais Dieu est mort !

— Oui : sur la croix. Mais son cadavre bouge encore. C'est la raison de ta présence sur terre. Moi j'ai renoncé à une paternité charnelle pour une paternité spirituelle. Quand tu accepteras le cadeau de la vie, tu n'auras plus peur de partir.

— Je sais, mon Père. Mais ce n'est pas une raison pour parler comme dans un film Marvel.

— C'est pas Marvel, c'est la Bible. Tu te souviens de la rencontre avec l'homme riche dans le Nouveau Testament ? Un homme riche demande au Christ comment avoir la vie éternelle. Et Jésus lui répond : « Vends tout et suis-moi. »

— Je ne vois pas le rapport.

— Mais si : les riches transhumanistes veulent concurrencer le Christ. Ce sont deux religions qui s'affrontent en ce moment : celle du fric et celle de l'homme.

— Le mont des Oliviers contre la vallée du Silicium…

— Exactement : la réponse au transhumanisme (l'homme fait Dieu) c'est le Christ (le Dieu fait homme). Tu dois transmettre ton histoire !

— L'histoire d'un type qui veut devenir immortel, et qui meurt.

— Si tu la publies, la fin changera peut-être ? Tu es bien placé pour savoir que la littérature peut vaincre le temps.

L'abbé m'investissait d'une mission. C'est sans doute cela que je cherchais : non pas l'éternité mais un truc à faire qui soit plus utile qu'un talk-show. C'est à cet instant précis que j'ai décidé de publier le récit que vous tenez entre les mains sous le titre (mensonger) d'*Une vie sans fin*.

— Mon Père, j'ai tout de même une question à vous poser. Si Dieu existe, pourquoi m'a-t-Il fait athée ?

— Pour que ton amour soit libre.

— Il voulait vérifier ma sincérité ? Dieu est si peu sûr de Lui qu'Il a besoin que ma foi soit spontanée ?

— Tu voulais quoi ? Un Dieu dictateur ?

— Oui, je crois que j'aurais préféré qu'Il s'impose à moi. Politiquement je suis un démocrate mais religieusement je suis facho ; ça me simplifierait la vie qu'Il m'adresse un signe tangible.

— Et moi alors je suis quoi ? Du mou de veau ?

L'abbé Julien s'est signé avant de s'éclipser à reculons dans sa soutane noire à la *Matrix*. J'ai appuyé encore et encore sur la pompe à morphine. Mon âme était flasque mais enfin, apparemment j'en avais une.

Je veux bien mourir sur « Us and Them » des Pink Floyd, en scrutant la mer à la recherche du rayon vert quand le soleil s'enfonce dans les flots comme un frisbee rouge dans de la confiture de cerise.

J'accepte de mourir si on me fait des « hugs ». Alors je ne sentirai rien, à part les fraises écrasées sous mes pieds. Je parlerai tout haut jusqu'au bout. Mes dernières paroles seront « Eh bien soit ».

J'ai pensé à Léonore, à Romy, à Lou, les trois femmes de ma vie, celle qui m'a brisé le cœur, celle qui m'a rejoint sur hard drive, mon bébé qui me manque cruellement… et le prochain à naître.

J'ai pensé à mon père, ma mère et à mon frère. En mourant, à qui d'autre voulez-vous penser qu'à ceux qui vous ont fait ?

J'ai pensé à mes amis, mes cousins, mes nièces, à mes nombreuses familles, composées, recomposées, décomposées, imposées ou exposées, implosées et explosées.

J'ai pensé aux filles que j'avais aimées, aux femmes

que j'ai épousées, à celles que je n'ai pas eues. À celles qui m'ont embrassé, même une seconde. Je ne regrettais pas un seul baiser.

J'avais donc vécu pour une fille à blouson en jean et Converse et sa petite sœur aux sandales dorées et dents du bonheur qui s'émerveille devant un escargot. C'était donc elles le pourquoi de ma vie, ces morceaux de chair tendre, ces joues douces contre ma barbe piquante, un rire de fillette contente de barboter dans les vagues ? Le sens de mon existence, c'était un bébé qui sentait la crème hydratante et sa grande sœur qui se maquillait les orteils en bleu ciel ? Deux pieds bombés en forme de Chamonix à l'orange et un long cou blanc de cygne ? J'aurais dû m'accrocher à leurs oreilles à consistance de calamar rose. J'ai créé plus de beauté avec mon sperme qu'avec le travail de toute une vie.

J'avais gagné au Loto et je ne le savais pas.

Bizarrement, en mourant, on ne pense qu'aux autres.

Me voici revenu avant ma naissance, évadé du présent. Aucune phrase ne saurait exprimer l'infini. Il
faudrait changer de langue pour écrire le livre définitif. Si nous devions retranscrire notre code ADN
de 3 milliards de lettres, à raison de 3 000 signes par
page, il faudrait mille tomes de mille pages.

ATGCCGCGCGCTCCCCGCTGCCGAGCCGTG-
CGCTCCCTGCTGCGCAGCCACTACCGCGAG-
GTGCTGCCGCTGGCCACGTTCGTGCGG-
CGCCTGGGGCCCCAGGGCTGGCGGCTG-
GTGCAGCGCGGGGACCCGGCGGCTTTC-
CGCGCGCTGGTGGCCCAGTGCCTGGTGTG-
CGTGCCCTGGGACGCACGGCCGCCCCCGC-
CGCCCCCTCCTTCCGCCAGGTGGGCCTCCC-
CGGGGTCGGCGTCCGGCTGGGGTTGAG-
GGCGGCCGGGGGGAACCAGCGACATGCG-
GAGAGCAGCGCAGGCGACTCAGGGCGC-
TTCCCCCGCAGGTGTCCTGCCTGAAGGAG-
CTGGTGGCCCGAGTGCTGCAGAGGCTGTG-
CGAGCGCGGCGCGAAGAACGTGCTGGC-
CTTCGGCTTCGCGCTGCTGGACGGGGCC-

CGCGGGGGCCCCCCCGAGGCCTTCACCAC-
CAGCGTGCGCAGCTACCTGCCCAACACG-
GTGACCGACGCACTGCGGGGGAGCGGGG-
CGTGGGGGCTGCTGCTGCGCCGCGTGG-
GCGACGACGTGCTGGTTCACCTGCTGG-
CACGCTGCGCGCTCTTTGTGCTGGTGGC-
TCCCAGCTGCGCCTACCAGGTGTGCGGGC-
CGCCGCTGTACCAGCTCGGCGCTGCCACT-
CAGGCCCGGCCCCCGCCACACGCTAGTG-
GACCCCGAAGGCGTCTGGGATGCGAACG-
GGCCTGGAACCATAGCGTCAGGGAGGC-
CGGGGTCCCCCTGGGCCTGCCAGCCCCG-
GGTGCGAGGAGGCGCGGGGGCAGTGC-
CAGCCGAAGTCTGCCGTTGCCCAAGAG-
GCCCAGGCGTGGCGCTGCCCCTGAGCCG-
GAGCGGACGCCCGTTGGGCAGGGGTCC-
TGGGCCCACCCGGGCAGGACGCGTGGAC-
CGAGTGACCGTGGTTTCTGTGTGGTGTCAC-
CTGCCAGACCCGCCGAAGAAGCCACCTC-
TTTGGAGGGTGCGCTCTCTGGCACGCGC-
CACTCCCACCCATCCGTGGGCCGCCAGCAC-
CACGCGGGCCCCCCATCCACATCGCGGC-
CACCACGTCCCTGGGACACGCCTTGTCCCC-
CGGTGTACGCCGAGACCAAGCACTTCCTC-
TACTCCTCAGGCGACAAGGAGCAGCTGCG-
GCCCTCCTTCCTACTCAGCTCTCTGAGGCC-
CAGCCTGACTGGCGCTCGGAGGCTCGTG-
GAGACCATCTTTCTGGGTTCCAGGCCCTG-
GATGCCAGGGACTCCCCGCAGGTTGCCC-
CGCCTGCCCCAGCGCTACTGGCAAATGCG-
GCCCCTGTTTCTGGAGCTGCTTGGGAAC-
CACGCGCAGTGCCCCTACGGGGTGCTCCT-

CAAGACGCACTGCCCGCTGCGAGCTGCG-
GTCACCCCAGCAGCCGGTGTCTGTGCCCGG-
GAGAAGCCCCAGGGCTCTGTGGCGGCCCC-
CGAGGAGGAGGACACAGACCCCCGTCGC-
CTGGTGCAGCTGCTCCGCCAGCACAG-
CAGCCCCTGGCAGGTGTACGGCTTCGTGC-
GGGCCTGCCTGCGCCGGCTGGTGCCCCCAG-
GCCTCTGGGGCTCCAGGCACAACGAACGC-
CGCTTCCTCAGGAACACCAAGAAGTTCATC-
TCCCTGGGGAAGCATGCCAAGCTCTCGC-
TGCAGGAGCTGACGTGGAAGATGAGCGTG-
CGGGACTGCGCTTGGCTGCGCAGGAGCC-
CAGGTGAGGAGGTGGTGGCCGTCGAGG-
GCCCAGGCCCCAGAGCTGAATGCAGTAGG-
GGCTCAGAAAAGGGGGCAGGCAGAGCCC-
TGGTCCTCCTGTCTCCATCGTCACGTGGGCA-
CACGTGGCTTTTCGCTCAGGACGTCGAGTG-
GACACGGTGATCTCTGCCTCTGCTCTCC-
CTCCTGTCCAGTTTGCATAAACTTACGAG-
GTTCACCTTCACGTTTTGATGGACACG-
CGGTTTCCAGGCGCCGAGGCCAGAG-
CAGTGAACAGAGGAGGCTGGGCGCGG-
CAGTGGAGCCGGGTTGCCGGCAATGGG-
GAGAAGTGTCTGGAAGCACAGACGCTCTG-
GCGAGGGTGCCTGCAGGTTACCTATAATCC-
TCTTCGCAATTTCAAGGGTGGGAATGAGAG-
GTGGGGACGAGAACCCCTCTTCCTGGG-
GGTGGGAGGTAAGGGTTTTGCAGGTG-
CACGTGGTCAGCCAATATGCAGGTTTGTGTT-
TAAGATTTAATTGTGTGTTGACGGCCAG-
GTGCGGTGGCTCACGCCGGTAATCCCAG-
CACTTTGGGAAGCTGAGGCAGGTGGAT-

```
CACCTGAGGTCAGGAGTTTGAGACCAGC-
CTGACCAACATGGTGAAACCCTATCTG-
TACTAAAAATACAAAAATTAGCTGGG-
CATGGTGGTGTGTGCCTGTAATCCCAG-
CTACTTGGGAGGCTGAGGCAGGAGAAT-
CACTTGAACCCAGGAGGCGGAGGCTGCA-
GTGAGCTGAGATTGTGCCATTGTACT
```

Dans les Pyrénées, quand on crie contre la montagne, l'écho répète le son de la voix. Deux, trois, quatre fois, on s'entend crier, comme si la montagne était un perroquet géant. Mais le volume diminue progressivement. Il faut crier plus fort, encore et toujours. Même si l'on s'époumone, l'écho finit par s'amenuiser. Le cri semble de plus en plus lointain, comme si quelqu'un, là-bas, de l'autre côté de la vallée, s'amusait à nous parodier, car l'écho ridiculise toujours celui qui gueule dans le vide. Quand j'étais enfant, je me lassais vite de ce jeu, au bout de quelques tentatives. Mes cris s'étouffaient dans la montagne. Inutile de s'égosiller pour obtenir quelques répliques de ta plainte. C'était toujours la même chose : un cri répété et puis, au bout d'un certain temps, plus rien. À la fin, le silence gagnait toujours.

ÉPILOGUE

Quelque part, dans le Pays basque, le rire des goélands a réveillé un bébé. Le soleil n'est pas encore levé, une rosée abondante s'est posée sur les pétales. Une fillette appelle sa maman. Elles se serrent l'une contre l'autre. Il y a tant d'amour dans cette chambre que les murs pourraient exploser. L'enfant mange une pêche ou une banane. Ses cheveux blonds et ses dents ont encore grandi dans la nuit. Elle a un an et demi. Elle marche et dit quelques mots : « t'entends ? », « ballon », « viens », « encore ! », « ouais ! », « maison », et « miaou » quand le chat entre dans la chambre. Le reste de son langage est un dialecte personnel : « Bakatesh », « Pabalk », « Fatishk », « Kabesh », « Dedananon », « Gilgamesh ». Elle parle peut-être le sanskrit couramment. Elle aime : se balancer dans le hamac, faire semblant de conduire la voiture en imitant le vrombissement du moteur, cueillir des pâquerettes dans le jardin, jouer aux ombres chinoises sur le gazon, trouver une coquille d'escargot, prendre une poignée de gravier pour redécorer la terrasse, cesser toute activité pour regarder un avion qui laisse une traînée blanche dans le ciel bleu, faire une boule avec la mie d'un croissant au beurre, danser avec sa mère en écoutant Joe Dassin, se faire offrir des framboises par la vendeuse au marché. En guise de chorégraphie, elle lève les bras et pivote sur elle-même, pieds nus dans l'herbe jusqu'au vertige. Son état d'esprit général : l'émerveillement devant Tout. Tout est nouveau, tout est important, et l'ennui n'existe pas. La mère et la fille iront déjeuner sur la plage. Dans ce pays il pleut souvent, ce qui confère à chaque rayon de soleil l'allure d'un miracle. Il suffit qu'une gloire transperce le firmament et les autochtones se déshabillent en vitesse. Il se passera énormément de choses au bord de l'océan : mettre du sable dans le seau, retourner le seau, tapoter sur le seau, retirer le seau, admirer le pâté de sable, détruire le pâté de sable, recommencer l'opération dix fois. Tremper ses orteils dans la mer. Courir en avant vers les vagues, reculer quand la vague approche. Crier « Oh non ! » quand la marée monte sur la serviette de bain. Croquer des morceaux de langoustine, des chipirons, une galette de maïs, une poignée de sable. L'après-midi est infini comme la mer. S'allonger sur le dos pour regarder le ciel. Dans la voiture qui la ramène à la maison, la petite réclamera son dessin animé préféré : *La Petite Taupe*, œuvre tchèque des années 60, qui prouve que le communisme n'a pas complètement échoué. Le bain chaud est le clou de la journée. La maman et le bébé le prennent ensemble. La peau de l'enfant est plus douce que toi. Dehors, les brebis rosissent au flanc de la colline.

C'est alors qu'elles entendent des roues crisser sur

le gravier. Un taxi s'est arrêté dans l'allée. Un grand échalas, chevelu et barbu, est assis sur la banquette arrière, tenant par la main sa fille aînée qui a grandi de quelques centimètres, débarrassée de son robot nippon. Le gars dégingandé paie la course et déplie sa carcasse pour sortir de la voiture. Il revient de Californie, où il s'était inscrit pour subir un protocole de tests scientifiques, à base d'injection de sang jeune. Mais le jour J, il s'est dégonflé, et ne s'est pas rendu au rendez-vous. Léonore et Lou ouvrent la porte de la maison basque. Léonore pose sa fille au sol, puis croise les bras sur son ventre arrondi. Elle resplendit dans la lumière rouge du soleil qui se couche derrière les pins. M'ayant reconnu, Lou laisse tomber son biberon par terre. Elle se met à courir vers moi en criant : «Papa!»

Alors je m'agenouille et j'ouvre les bras.

REMERCIEMENTS

Merci à Farah Yarisal de la fondation The Brain Circle qui m'a mis en contact avec le docteur Yossi Buganim du département de biologie développementale et de recherche sur le cancer de l'Université hébraïque de médecine de Jérusalem.

Merci au professeur Yossi Buganim pour sa pédagogie et sa gentillesse.

Merci à Tali Dowek, chargée des relations extérieures à l'Université hébraïque de Jérusalem, pour la visite du Centre et l'entretien complémentaire avec le professeur Eran Meshorer du Centre de science du cerveau Edmond & Lily Safra.

Merci au professeur Stylianos Antonarakis de la Clinique du Génome au département de médecine génétique de la faculté de médecine de Genève.

Merci au docteur Frédéric Saldmann du service d'explorations fonctionnelles et de médecine prédictive de l'hôpital européen Georges Pompidou.

Merci à Dominique Nora de *L'Obs* pour son aide précieuse.

Merci au docteur André Choulika, CEO de Cellectis, pour sa simplicité et sa disponibilité, à Paris comme à New

York. Son livre *Réécrire la vie* (Hugo-Doc, 2016) m'a aidé à comprendre l'incompréhensible.

Merci au professeur George Church du MIT, du Wyss Institute et de la faculté de médecine de Harvard pour notre conversation surhumaniste dans son laboratoire de Boston.

Merci au docteur Laurent Alexandre pour notre déjeuner non transgénique chez Guy Savoy à la Monnaie de Paris.

Pardon à Jesse Karmazin pour le lapin.

Merci à l'abbé Thomas Julien pour son apport spirituel.

Merci à Olivier Nora, Juliette Joste et François Samuelson d'avoir cru en ce projet insensé.

Que votre mort à tous soit supprimée.

LE VOYAGE VERS L'IMMORTALITÉ
EN NEUF ÉTAPES

Essais

DERNIER INVENTAIRE AVANT LIQUIDATION, Grasset, 2001.
JE CROIS, MOI NON PLUS. *Dialogue entre un évêque et un mécréant*, Calmann-Lévy, 2004.
PREMIER BILAN APRÈS L'APOCALYPSE, Grasset, 2011.
CONVERSATIONS D'UN ENFANT DU SIÈCLE, Grasset, 2015.

Frédéric Beigbeder
au Livre de Poche

5,90 €   nº 32414

«En gros, leur idée c'était de détruire les forêts et de les
remplacer par des voitures. Ce n'était pas un projet
conscient et réfléchi : c'était bien pire. Ils ne savaient pas
du tout où ils allaient, mais y allaient en sifflotant – après
eux, le déluge (ou plutôt les pluies acides). Pour la première
fois dans l'histoire de la planète Terre, les humains de tous
les pays avaient le même but : gagner suffisamment d'argent
pour pouvoir ressembler à une publicité. Le reste était
secondaire, ils ne seraient pas là pour en subir les conséquences.»

L'amour dure trois ans   nº 32653

«Tout ce roman désenchanté, grave et si drôle par endroits,
baigne dans cette lumière de soleil couchant, où les bons
mots volettent comme des oiseaux sur le charnier des pas-
sions défuntes. Beigbeder, le Chamfort de l'amour sans
issue, n'a qu'à faire tourner sa plume pour qu'elle vous
pique au vif» (Fabrice Gaignault, *Elle*). «Sur un ton tour à

tour grave et badin, où la tristesse se mêle à la fantaisie, la légèreté à la souffrance, l'ironie à l'amertume, ce Musset fin de siècle, à travers la confession de ses déboires sentimentaux, nous parle du désarroi de sa génération» (Dominique Guiou, *Le Figaro littéraire*).

Au secours, pardon   n° 31059

«Dehors, le blizzard soufflait; devant le café Vogue, trois chevaux-taxi attendaient en grelottant sous la neige de m'emmener ivre mort à la Galleria contre 200 roubles. Parfois, je vibrais à l'unisson de ce décor de féerie, la blancheur conférait à tout ce qui était visible une aura merveilleuse, et alors, l'espace d'un instant, le monde me semblait bien organisé.» Octave est de retour. L'ancien rédacteur publicitaire de *5,90 €* porte désormais une chapka. Il erre dans Moscou, sous la neige et les dollars, à la recherche d'un visage parfait. Son nouveau métier? *Talent scout*; un job de rêve, payé par une agence de mannequins pour aborder les plus jolies filles du monde. Tout le problème est de trouver laquelle.

Conversations d'un enfant du siècle   n° 34321

Écrire, c'est parler en silence, et réciproquement: parler, c'est écrire à haute voix. J'ai interrogé les auteurs de ce livre comme un apprenti garagiste questionnerait un professionnel sur la meilleure manière de changer un joint de culasse. Je voulais déchiffrer leur méthode, comprendre les rouages de leur travail, voler leurs secrets de fabrication. C'est fou comme on se sent bien en écoutant les dernières personnes intelligentes sur terre. (F. B.)

Les chefs-d'œuvre détestent qu'on les respecte. Ils pré-
fèrent vivre, c'est-à-dire être lus, triturés, contestés, abîmés.
Il serait temps de faire mentir la boutade d'Hemingway :
un chef-d'œuvre est un livre dont tout le monde parle et
que personne ne lit.

L'Égoïste romantique   n° 34403

Cette histoire débute en l'an 2000. Oscar Dufresne a
trente-quatre ans. C'est un écrivain fictif, comme il y a des
malades imaginaires. Il tient son journal dans la presse
pour que sa vie devienne passionnante. Il épingle la notoriété (à commencer par la sienne), courtise les femmes à la
hussarde mais tombe amoureux, console les célibataires
qui lui ressemblent, croise et assassine les célébrités, voyage
dans les boîtes de nuit du monde entier. Il est égoïste,
lâche, cynique et obsédé sexuel. Bref, c'est un homme
comme les autres.

Je crois, moi non plus (avec J.-M. di Falco)   n° 30356

D'un côté : Frédéric Beigbeder, écrivain nihiliste, éditeur
expérimental, critique impertinent, agitateur hédoniste,
noctambule mécréant. De l'autre : Monseigneur Jean-
Michel di Falco, évêque de Gap, ex-porte-parole des
évêques de France, homme de Dieu et de terrain. L'un ne
croit pas en Dieu et encore moins en lui-même. L'autre
aimerait le convaincre qu'il se fourvoie et qu'il peut le sauver. Dieu, la religion, la foi, les sacrements, la société, les
mœurs, l'amour, la mort, le sexe... Ils dialoguent très libre-

ment sur ces questions éternelles. Ces deux hommes que tout oppose ont réussi à se rencontrer. Ce fut déjà, en soi, un miracle.

Oona & Salinger   n° 33869

En 1940, à New York, un écrivain débutant nommé Jerry Salinger, vingt et un ans, rencontre Oona O'Neill, quinze ans, la fille du plus grand dramaturge américain. Leur idylle ne commencera vraiment que l'été suivant… quelques mois avant Pearl Harbor. Début 1942, Salinger est appelé pour combattre en Europe et Oona part tenter sa chance à Hollywood. Ils ne se marièrent jamais et n'eurent aucun enfant.

Premier bilan après l'apocalypse   n° 32875

L'apocalypse est en train d'avoir lieu et nous ne faisons rien. Le plus gigantesque autodafé de l'Histoire a commencé : des milliards de livres de papier vont disparaître dans l'indifférence générale, remplacés par des écrans. Les librairies ferment les unes après les autres ; puis viendra le tour des maisons d'édition et des bibliothèques. J'aurai au moins tenté avec ce bilan de sauver 100 livres du brasier, mes 100 œuvres préférées du XXe siècle. À partir de maintenant, vous ne pourrez pas dire que vous ne saviez pas.

La Trilogie Marc Marronnier   Coffret

Un coffret qui regroupe les titres : *Mémoires d'un jeune homme dérangé*, *Vacances dans le coma* et *L'amour dure trois ans*.

Un roman français n° 31879

C'est l'histoire d'un grand frère qui a tout fait pour ne pas ressembler à ses parents, et d'un cadet qui a tout fait pour ne pas ressembler à son grand frère. C'est l'histoire d'un garçon mélancolique parce qu'il a grandi dans un pays suicidé, élevé par des parents déprimés par l'échec de leur mariage. C'est l'histoire d'un pays qui a réussi à perdre deux guerres en faisant croire qu'il les avait gagnées. C'est l'histoire d'une humanité nouvelle, ou comment des catholiques monarchistes sont devenus des capitalistes mondialisés. Telle est la vie que j'ai vécue : un roman français. (Prix Renaudot.)

Vacances dans le coma n° 14070

«Les Chiottes»: tel est le nom du night-club branché que l'on inaugure place de la Madeleine. Marc Marronnier, jeune chroniqueur mondain, s'y rend à l'invitation de son vieux copain Joss, le DJ le plus demandé de New York à Tokyo, virtuose du sampler digital. Top-models de la veille ou du lendemain, visages liftés, stylistes à la page, décadents de tout poil se pressent sur la piste, entre dance music et pilules d'ecstasy. «Le fric permet la fête qui permet le sexe.» Marc, lui, sait bien qu'il ne pense qu'à l'amour. Il le rencontrera à l'aube avec le visage le plus inattendu…

Windows on the World n° 33793

«Vous connaissez la fin : tout le monde meurt. Certes la mort arrive à pas mal de gens, un jour ou l'autre. L'originalité de cette histoire, c'est qu'ils vont tous mourir en même temps et au même endroit. La plupart des clients du *Windows on the World* ne se connaissent pas entre eux. Dans un instant, le temps deviendra élastique. Tous ces gens feront enfin connaissance. Dans un instant, ils seront tous unis dans la Fin du Monde. » Le seul moyen de savoir ce qui s'est passé dans le restaurant situé au 107e étage de la tour nord du World Trade Center, le 11 septembre 2001, entre 8 h 30 et 10 h 29, c'est de l'inventer.

Le Livre de Poche s'engage pour
l'environnement en réduisant
l'empreinte carbone de ses livres.
Celle de cet exemplaire est de :
250 g éq. CO_2
Rendez-vous sur
www.livredepoche-durable.fr

PAPIER À BASE DE
FIBRES CERTIFIÉES

Composition réalisée par MAURY-IMPRIMEUR

Achevé d'imprimer en France par
CPI BRODARD & TAUPIN (72200 La Flèche)
en septembre 2019
N° d'impression : 3035434
Dépôt légal 1re publication : octobre 2019
LIBRAIRIE GÉNÉRALE FRANÇAISE
21, rue du Montparnasse – 75298 Paris Cedex 06